Biblioteca Era

Carmen Boullosa
La Milagrosa

Carmen Boullosa

*

La Milagrosa

*

NOVELA

Ediciones Era

Este libro fue escrito con la beca
de la John Simon Guggenheim Foundation

Primera edición: 1993
ISBN: 968-411-358-7
DR © 1993, Ediciones Era, S. A. de C. V.
Calle del Trabajo 31, 14269 México, D. F.
Impreso y hecho en México
Printed and made in Mexico

**A Bioy,
a Vlady**

*Think and endure, — and form an inner world
In your own bosom — where the outward fails.*

Byron

El cadáver sujetaba en sus brazos un manojo de papeles y una cinta. Este gesto le daba un rasgo de vitalidad que me sorprendió, y que no deja de conmoverme. Desde la muerte, acostado sobre una cama hecha, parecía gritar "no vayan a arrebatarme esto, no vayan a arrebatarme lo único que tengo, la explicación de mi muerte". He aquí el contenido de los papeles y de la grabación que sujetaba con tanto rigor el muerto. Lo he armado de manera que parezca más comprensible, según convino a mi criterio.

Me pareció que lo primero que había que leer es la siguiente

NOTA

Junto con esta grabación, se encontrarán los papeles que la Milagrosa tuvo a bien regalarme, para que escaparan de la rapiña amorosa de sus fanáticos y para demostrarme una generosidad que desgraciadamente no merezco. De manera no muy clara, explican cómo 'opera' la Milagrosa, cuál es el 'mecanismo' de su don. Para el seguimiento o conocimiento del caso los considero poco útiles, habría de hacerse a un lado la cursilería de la Milagrosa, sus reflexiones en círculos concéntricos, que no llevan a ningún lado.

Siguen los
PAPELES DE LA MILAGROSA,
ESCRITOS DE SU PUÑO Y LETRA:

11

Emprendo un nuevo ejercicio espiritual. Sólo trotaré donde no existan los números, donde el Uno sea la perfección de la enumeración, donde no se pueda llegar más allá en la cuenta del todo. Con esto, en medio del ruido que hace años parece acostumbrado a rodearme, pretendo mantenerme una ante la tentación de las partes de la docena, sin volverme la séptima del fulgor de sombras, ò la centésima en una muchedumbre en la que no reconozca ningún rostro, donde yo sea la multitud y el individuo, indistinguible parte de un todo que nada conforma.

Emprendo aquí un nuevo ejercicio con mi espíritu. En el entrenamiento, avanzo y retrocedo con el solo fin de practicar no extraviarme, temiendo si no, en el fragor provocado por la habilidad, perder aquello que me hace tenerla.

He dicho habilidad y he hablado del don como si fuera algo que poseo. Ambos términos bastarían para condenarme. Si realmente creo en ellos, el signo que irradiaría el don en su ejercicio sería el del mal. Pero, poniéndome en el límite de la honestidad a que orilla el único uno en que me sumerjo, ¿cuánto se tiene contacto con el mal al fructificar un deseo por el ejercicio de mi don?

Mi arrogancia debe desaparecer del todo al término de estas prácticas. Cada que peque de soberbia, repetiré uno-uno-uno hasta que mi sangre pierda el retumbar inarmónico de quien se sabe triunfante y poderoso. Porque aunque me he visto entreverada en la madeja de cordeles que gobierna los destinos, aunque he estado allá donde se rige la gran marioneta, nada tiene que ver mi persona y mi voluntad con el sitio que a ratos ocupo. Si estoy aquí, es por el gobierno que tienen otros sobre mi persona. ¿Quiénes? No es éste el lugar indicado para indagarlo o preguntármelo. Me propuse hablar de una única persona. Y ésa soy yo. Yo. Yo. Yo. Yo. Es en mí donde se manifiesta la capacidad del milagro. En mi persona, más que en mi cuerpo, opera la posibilidad de lo imposible. No basta con tocarme para conseguir el anhelo pedido. Lo saben todos los que acuden para que a través de mí, o siendo yo el vehículo de lo que no puede ser, llegue a ellos un milagro. A pesar de eso, los más hacen cuanto pueden para poner sus manos en mí o en mis ropas, y ha habido los tullidos que desplomándose voluntariamente de sus muletas, besan mis zapatos implorando. No temen sus gestos. Yo sí. Por las noches empujo sus actos errados para recomponerlos, acomodarlos de manera armónica. Desde ahí deben echarse a correr hacia el milagro. ¿A quién se le cumple el milagro pedido?, ¿a quién no? No es mi voluntad quien los hace saltar la cerca de lo imposible. Saltan o no saltan, sin que nada pueda provocarlo o impedirlo. Si reacomodo los actos demasiado grotescos de sus protagonistas antes de intentar el milagro, es por mero afán estético. Al presentarlos al mundo de los sueños, no quiero verlos grotescos o estúpidos, a fin de cuentas son candidatos a vivi. un hecho milagroso. En esta recompostura (ya que así la he llamado) mi voluntad empieza y termina. En lo demás, yo no puedo controlar el mundo de mis sueños. Ni yo, ni lo que he comido, ni aquello en que he pensado. Es por esto también que temo los gestos de quienes acuden a mí. Cuando he tenido una noche infructuosa, cuando sueño tras sueño ningún milagro arraiga, o peor aún, cuando despierto sin haber soñado, con la mente en blanco, inerme como cualquier mortal, y trato

13

de explicarme el porqué han sido sin fruto mis sueños, o por qué ni siquiera acudieron a mí los sueños, no sé si culpar a los gestos de alguno de los suplicantes, como si los movimientos de manos, cara, piernas, brazos y tronco tuvieran poder sobre el territorio de los sueños por venir, pases de magos que no saben que lo son, y que gobiernan sin conocerlo el mundo de los sueños. Me queda claro que esta explicación es pura superchería, que no es cierta. Me detendré en algunas de mis conjeturas, para revisarlas con atención.

Por ejemplo, bañarme en la noche. Es un placer que me tengo prohibido. Mi madre me bañaba por las noches, durante toda mi infancia, siempre a la misma hora; si ahora lo hago, me siento protegida. Olvido todo, y al acomodarme en las sábanas me pierdo hasta la mañana siguiente. Dejo de ser la Milagrosa que visitan miles de seres desesperados buscando consuelo, y me vuelvo una niña. No sé si sueño, al despertar no recuerdo nada, y si tengo sueños no aparecen en ellos los suplicantes, ni se operan milagros, ni dejan de ocurrir. Me lo tengo prohibido. Lo cual no quiere decir que no lo haga nunca, hay veces en que lo hago voluntariamente. Pero no hablaré de eso en este momento: uno-uno-uno-uno... ¿Y no serán parte del uno aquellos que entran en mis sueños, remediando sus debilidades y consiguiendo sus anhelos? Aunque conteste afirmativamente a la pregunta, no puedo hablar de algo que se me escapa de la lengua, porque no entró en mis sueños, porque nunca formó parte del uno que hoy me concierne. Bañarme de noche tiene un nexo cierto con la desaparición de mis sueños, y por esto no la considero otra de las varias supersticiones que he ido acuñando.

Que las tenga no debe extrañar a nadie. Sé el poco o nulo poder que ejerzo sobre mi don. Sé que es un don.

Sé que no es estrictamente mío, aun cuando sea parte esencial de mi persona. Las supercherías pueden quedar guardadas en el silencio. Significan que yo he intentado hacer para el don una guarida de rutinas domésticas. Uno: todo lo tengo bastante bien organizado. Hasta donde he podido, he conseguido escapar de quienes han querido hacerse uno conmigo, participando de mi aptitud para hacer milagros. Recuerdo por ejemplo al gordo Eusebio. A la fecha no sé si él fue o no fue amante de mamá, si nos acompañaba sólo para sacar provecho de mi situación o si nos seguía por tenerle además apego a ella. Que mamá lo amaba, no me cabe la menor duda, pero creo que el gordo era incapaz de amor alguno hacia ninguna persona. A pesar de esto, ¿podría haber sido amante carnal de mamá? Lo desconozco por completo, y procuro alejar de mi vigilia cualquier conjetura que tenga que ver con el acto sexual. Creí ver en sueños, muy al principio, que si yo accedía a esos placeres perdería toda aptitud milagrosa, desaparecería el don de hacer milagros a través de mis sueños, y no he tenido valor para probar siquiera una diminuta porción del acto carnal. Nunca he dado un beso y no puedo considerar besos los que dejan en mis faldas y zapatos los suplicantes enardecidos. Nunca he tocado el cuerpo de un hombre, no sé cómo es de áspera la piel masculina, la cara con la barba incipiente. El temor de perder el don que tengo me hace repulsiva la pura idea de aproximación corporal, si es que está en juego mi persona. Porque en mis sueños, para otros, más de una vez he conseguido el acto sexual. Lo he presenciado, lo he visto, lo he vivido. Pero puede que tema en balde, si el don, como ya lo dije, concierne más a mi persona que a mi cuerpo.

Dicho temor (el de perder el don) no parte de ningún sentimiento que se acerque a la generosidad, ni de la pie-

15

dad que podría despertar en mí la hilera eterna de suplicantes... nunca he visto terminarse esa fila: al amanecer, cuando me asomo por la ventana, ya están ahí, ahí están cuando dejo de recibirlos para sentarme a comer, ahí siguen a la noche, cuando me voy a dormir, a veces más, a veces menos, bien alineados obedeciendo las señas que yo misma escribí y colgué para que reine el orden: primero las dos principales, del lado derecho suplicantes, del izquierdo vísperas, donde esperan durante la noche la resolución de sus peticiones cuando se trata de una conversión corporal —falta de miembros, malhechuras, adiposidades, gibas, problemas de la piel—, porque si su solicitud es de otra índole que no ataña a la salud aparente del cuerpo (digamos un malestar del hígado, un problema personal), pueden esperar la resolución en casa. Con el conque de que así será perdurable, lo único que solicito (los "milagritos" o afiches que pegan en columnas y paredes de la capilla son cosa de ellos) es que al verse cumplidas sus peticiones, acudan a la brevedad a escribirse en la libreta "Últimos milagros", anotando nombre, dirección, teléfono y escuetamente (si lo admite la decencia) tipo de milagro conseguido.

Si lo admite la decencia... Yo no tengo reparo en dar oídos a peticiones de cualquier calaña, pero no acepto las que nacen de venganzas o envidias, y en las noches mis sueños no temen darles acogida. Así yo (o mi don) he (ha) conseguido hacer posibles amores imposibles y aliviar ardores provocados por enamoramientos no correspondidos, llenos de escollos o francamente no factibles. Pero son labores menores, lo digo en respeto al justo valor de mis poderes.

Interrumpí la explicación de la índole de mi temor. No temo perder mi don por piedad a los suplicantes o porque me conmueva la gente necesitada de lo imposible.

No. Aliviarlos, curarlos, saciarlos, quitarles lastres y defectos, aparecer piernas perdidas, despertar miembros tullidos, regresar la risa a casa, hago, mi don hace (al incorporarlos a mis sueños e imaginarlos ahí restituidos) cualquier prodigio, sea éste la aparición de la normalidad, o un prodigio verdadero, un milagro en toda forma. Porque regresar a un cojo la pierna perdida no es estrictamente milagroso, es hacer las cosas como son, es simplemente alcanzar la norma. Si he de ser franca, estos son los ejercicios que menos me agradan.

Los sueños empiezan con la hilera de los suplicantes (no estrictamente idéntica a la que hubo ese día, siempre hay algunos que no pueden entrar a mis sueños, no sé por qué, aunque casi siempre, al recibirlos frente al altar lleno de flores para la Virgen, puedo intuir si el suplicante en turno ingresará, pero lo que no puedo saber de antemano es si se curará) y en situaciones que siempre me sorprenden, me alelan, me agitan, de súbito aparecen como debieran haber sido para no haber formado parte del ejército de los suplicantes, sanos, completos, conformados sin equivocación. Al despertar, así los encuentro en la vigilia, cambiados, felices. Los observo desde mi ventana. Cuando bajo a tomarme el café matutino, oigo llegar a quienes solicitaron milagros que no cambiaban la forma de sus cuerpos. En su caso, es distinto el orden de mis sueños. Primero reparo lo visible, quiero decir, en mis sueños se repara lo visible, los defectos físicos, después las enfermedades, etcétera, como lo he explicado. Pero cuando me piden que les conceda historias, hechos, entonces el suplicante sale de la fila y lo sueño adentro del sueño. Lo veo actuar, hacer, obtener; recuerdo lo que pidió, y, de alguna manera, el suplicante se lo otorga a sí mismo, porque he soñado cosas que juro no me pertenecen, que no pudieron haber salido de mi imaginación, porque esca-

17

paban a todo mi espectro de la realidad, porque eran cosas que... pues que pedían ellos, o ellas, cosas, hechos, situaciones que yo no pude nunca desear, en mundos con personajes que nada tienen que ver conmigo, y, por qué voy a mentir, es algo que me gusta mucho, que disfruto apasionadamente.

Entonces, decía, los suplicantes de este otro tipo, los que piden milagros que tienen que ver con su vida y no con su cuerpo, empiezan a llegar a la cabaña cuando me tomo el café matutino, pero siguen llegando durante todo el día, y no suelo verlos. También llegan a agradecer los que han sido curados de alguna enfermedad no visible; a éstos les pido que se vayan a sus casas por comodidad, para no atestar de gente en las noches, y porque de todas maneras no sorprenderá a nadie más que a ellos mismos el milagro de su curación.

Algunos de los suplicantes "sentimentales", por llamarles de alguna manera, regresan otra vez. O porque lo un día solicitado se les haya convertido en un tormento, o porque desean otra provocación, insatisfechos con lo que han conseguido. Esto último es más que frecuente cuando se trata de amores. Es muy fácil pedir ser correspondido, olvidan solicitar prolongación del enamoramiento, y cuando vuelven piden la correspondencia de otro ser amado, con el mismo error de fórmula... Qué fastidio. Igual los sueño yo, religiosamente, y turno sus deseos a mis sueños.

Algunas noches, anoto lo que he escuchado durante el día. ¿Con qué propósito? Tal vez con ninguno. Me acordé por éste, que me parece viene a cuento:

"Milagrosa, milagrosísima, yo lo que querría es ser feliz y no hacer infelices a otros. Porque buscando mi felicidad he arrollado las alegrías de cuantos me rodean. A mi primer marido lo abandoné porque me enamoré de otro. Con el segundo hice lo mismo, y con el tercero. Sabes que soy hermosa, y mi belleza, Milagrosa, es parte de mi castigo. Nadie no me ha amado, quiero decir de los hombres que yo he amado, y mi madre no me enseñó a mentir. En ella, el enfado de la verdad era permisible, porque ella fue leal a mi padre hasta que él murió. Después, su vida no le ha dado complicaciones que le permitan mentir siquiera. Yo aprendí eso de ella, fue el principio de una serie de torpezas. Yo no comprendo nada, nunca. No hay malicia en mi persona. No sé si me entiendas, Milagrosa, no hay malicia en mi manera de amar, entera y sin escrúpulos. Mira, sé que el amor no es un sentimiento bueno, sé que ni siquiera es un sentimiento. Se trata de otra cosa, la pasión amorosa no es un sentimiento. No se parece al cariño, al apego verdadero por una persona o por sus actos... Con el tiempo uno reviste de sentimientos al amor, pero ya entonces él ha perdido su primera fuerza, y almas como la mía, que no saben mentir, no permiten a sus dueños el ejercicio de los sentimientos en toda forma. De manera que soy una baldada sentimental y a quienes me rodean sólo les he hecho mal, mal una y otra vez es lo que he hecho. He hecho infelices a quienes he amado. Y no me puedo imaginar siendo de otra manera. Vengo a pedirte, Milagrosa, que me prives del amor desde hoy y hasta siempre. Que yo ya no me enamore nunca de nadie. Y si la vida me parece austera y torpe sin la pasión amorosa, terminará mi vida, ¿qué ha de importarme? ¡Lo único que vale en ella es el amor, sin él, total, me puedo ir a la porra, despeñarme!... Pero no tengo por qué seguir siendo como soy, una agente del dolor, un cuchillito que se apoya en nombre del amor..."

Mi carpeta de peticiones no es nada delgada y no es la única que terminará por estar llena. Anoto aquí otro par:

"Quiero, Milagrosa, que me devuelvas la pierna que perdí cuando trabajaba en Ferrocarriles, para volver a trabajar otra vez en Ferrocarriles, porque así como estoy perdí el empleo..."

"Yo vengo a pedirte, Milagrosa, que por favor le quites lo malhumorado a mi padre, porque todas las noches le pega a mamá, y no sé si es porque beba, o beba porque esté de mal humor...
—Tienes que pedirle a él que venga, necesito verlo para poder soñarlo...
—Eso no puede ser, Milagrosa. No querría venir, y siempre anda tan de malas que si viene, creo que te pega...
—Entonces tráeme a tu mamá.
—Huy, no, Milagrosa, a ésa no podría convencerla de que venga."

Parecería que sólo escribo las peticiones para divertirme. Puede ser. No me parece mal que así sea, en cambio mal me parece ponerlo aquí, en el espacio reservado para el ejercicio espiritual que parece no consigo ejecutar, porque olvido el uno-uno-uno que me había yo propuesto. Decía que turno los deseos de los suplicantes a mis sueños. Algunas veces se les cumplen. Otras no. No sé si lo primero o si lo segundo con más asiduidad, no he llevado la cuenta. Quienes se han visto beneficiados me llaman Milagrosa, dicen que Dios beneficia a su obra por mí. Quienes no han corrido con suerte, me acusan de engaño o maleficio, y dicen que he montado el teatro para enriquecerme, aun cuando hay veces que regresan humildes a la hilera de los suplicantes, si caen desesperados en algo que parezca no tener remedio por las vías normales o comunes. Y están los pacientes, que regresan una y otra vez sin murmurar en mi contra, persuadidos de que algún día podrán entrar en mis sueños, cosa que por lo regular consiguen. Uno-uno-uno-uno. Yo no tengo de qué envanecerme. Tampoco tengo por qué satanizar a la soberbia. Hace mucho descubrí que la "milagrosidad" era un asunto que poco tenía que ver con el decálogo de algún dios. Lo de la carne, no es por problema moral, sino meramente práctico, quiero decir, lo de que yo no me entregue a los placeres carnales. He visto en mis sueños copular a las personas. He conocido lo que ocurre con el animal de dos espaldas. Lo he visto perderse en parajes sin ojos. He escuchado la música infernal en que se sumergen, densa hasta la oscuridad. Y nunca los he envidiado. Nunca he envidiado la disolución de mi persona. En medio del ejército mudable, atrapada en esta multitud de seres cambiantes por el don de mis sueños, me aferro a mi propia persona con ferocidad. Me aferro. Me ejercito para jamás soltarme: uno-uno-uno...

No tengo control directo sobre las cosas. Esto lo he dejado siempre muy claro. No puedo hacer, mi don no puede hacer, que amanezcan repletas de cosas deseadas las casas o las carteras de los suplicantes, ni tampoco que se repare el objeto roto o que se recupere el perdido. Pero soy la excepción (también en esto) entre los humanos. Tiranizados por las cosas, no parecen comprender que toda posesión material es mera fantasía, que en la posesión sacian un hambre tristemente ciega, que sin sentido del gusto, queriendo comer esto o aquello no paran mientes en masticar mentiras.

Me he preguntado en distintas ocasiones (antes del día de hoy en que repito mi pregunta), ¿por qué no hablo con los suplicantes a quienes se ha concedido el milagro?

Hoy sé que la respuesta es muy sencilla: porque ya los he visto, en sueños los conozco remediados, concedidos. Y en el sueño, el tiempo es muy distinto, y he podido observarlos cuanto me ha sido necesario. Incluso he podido apreciar en sus nuevas perfecciones los rasgos más grotescos. Por otra parte, pueden guardar por siempre sus agradecimientos. A mí no me dicen nada. Cuando leo los que dejan adheridos en las paredes y las columnas de la capilla (porque a las libretas jamás me acerco), miro arriba de mi hombro. ¿A quién le hablan? Creo que a alguien que me va siguiendo. No pueden ser para mí dichas palabras. Lo que ocurra por mi don no debe atribuírseme, ó por lo menos no debe agradecérseme. Yo soy el vehículo. ¿Por qué ocurren los milagros? ¿Para vanagloria del Creador? Puede que sí, puede que no. Creo que es contraria a su Naturaleza la existencia de estos hechos que irrumpen contra la verdad. Poco han de pensar en Él quienes consiguen sus anhelos. Capilla y efigies no consiguen engañar a nadie del todo. El signo del milagro es inquietante. El de la fe es en cambio la calma. La fe exige apego a la moral dictada. El milagro, como lo he dicho, no tiene escrúpulos, todo lo permite. Recurrir al milagro, cualquiera puede recurrir al milagro. En cambio, el que tiene fe debe pensar en los ojos de Dios, juzgándolo todo; el que me pide algo sabe que tengo la mirada infinitamente más blanda, que pienso que no soy yo quien lo concede, y que todo esto me causa un placer enorme, no por vanidad, no porque yo sienta que ejerzo un poder. Porque sí. Tal vez por amor a la belleza, porque los milagros tienen que ver con la belleza, por lo menos cuando se trata de remediar defectos, aunque en otros casos los milagros son la consecución de lo grotesco. Pienso en la mujer excedida de peso que vino ayer a pedir el regreso del deseo al lecho conyugal. Por la noche, la vi meneando las sábanas con su diminuto marido, los dos de ojos cerrados, como si no pudieran soportar la escena, jadeando, expulsando por la boca raros gemidos. Viéndolo a él en tal predicamento, me costó trabajo reconocerlo, un hombre muy bajo, bigotón, que me había visitado, haría cosa de dos meses, buscando una venganza contra su jefe en turno, un altanero que se complacía en humillarlo.

Cuando vino, le expliqué que los dones de Dios no podían usarse para herir o lastimar. Miró hacia la puerta, como si después del golpe de mi respuesta no pudiera resistir seguirse exponiendo a mi mirada. Abría y cerraba sus manos regordetas. Volvió hacia mí la cara:

—Entonces deme, deme...

Era de estos mediocres que jamás han soñado con nada. Lo interrumpí para sacarlo de su predicamento:

—Voy a hacerte feliz en casa con los tuyos. Quiero decir, te gustará estar con ellos, disfrutarás su compañía.

Fui cortante al sorrajarle la despedida, para sacarlo de su azoro, y para que se desclavara del piso:

—Gracias por habernos visitado. Dios ponderará tu petición. Si te es concedida, agradéceselo a él siguiendo las indicaciones de los carteles que encontrarás a la salida.

Y rompí a cantar el salmo que a veces entono para serenarme, manifestar alegría o enojo (indistintamente) entre las consultas:

Pues se desvanecen mis días en humo
y arden mis huesos como fogón.
Requemado, cual heno, mi corazón está seco,
cierto, me olvido hasta de comer mi pan.
A fuerza de la voz de mi gemido
adhiérese mi osamenta a mi carne.
Me asemejo al pelícano del yermo,
Me vuelvo cual lechuza de las ruinas.

Al visitarme ella, la dicha de ese hogar se había redondeado con el acto grotesco. Fue un milagro que el milagro se cumpliera. Tras ella entró una madre con un chico con daño cerebral. Tendría, calculo, dieciséis o diecisiete años, jamás le había funcionado su inteligencia normalmente. Interrumpí a la madre en el recuento de doctores, diagnósticos, píldoras y terapias, esos datos me fastidian y no me sirven de nada. Le pregunté cómo eran los otros hijos. No había otros hijos. Le pregunté por los abuelos del chico. Habían muerto. Le pregunté por el padre:

—Usted sabe, es muy difícil convivir con un chico así, nunca hay descanso... Nos dejó hace doce años.

—¿Él de qué trabaja?

El padre dirigía un banco. Se había vuelto a casar. No los ve nunca, pero les pasa regularmente su dinero. Ese nos con el que ella hablaba, me hizo preverla sola y abandonada en cuanto el chico tuviera su propia inteligencia.

—¿Qué va a hacer usted ahora que el chico se cure?

—¿Se va a curar?

—Sólo lo sabremos hasta mañana. Pero previendo que pudiera ser, ¿qué hará usted ahora que él sea independiente?

—Yo... Descansaré y dormiré. Por fin tendré mi casa en orden... No sé. Han sido tantos años, y yo no he querido soltar al chico, es incapaz de defenderse de un abuso o un maltrato, o de explicarme que haya ocurrido para que yo lo defienda... No he tenido tiempo de pensar qué haría yo de sanar él...

—Hagamos un trato usted y yo. En caso de que el chico adquiera inteligencia, usted me viene a ver, si se siente extraña, abandonada o simplemente triste. Convengámoslo. Es su único hijo, tendrá que aprender a convivir con un muchacho normal, y en una edad difícil. ¿Lo convenimos?

24

Era una mujer rica, hermosa a pesar de su vida, del abandono del marido, de la entrega al hijo loco e imbécil. Se tiró a mis pies. Me besó los zapatos, con tal elegancia que hacía al acto extraño, porque no parecía haber perdido la compostura. Se levantó y salió sin volver a abrir la boca, sujetando al hijo que no paraba de reír a carcajadas, girando la cabeza e inclinándola muy extrañamente hacia atrás, como en la orilla de una convulsión.

Salí a anunciar que durante ese día no podría recibir más gente. Apenas serían las cuatro de la tarde, creo que sólo había dos personas en la hilera de vísperas. Pero ya no podía recibir a nadie porque la noche se me haría diminuta. Tendría que soñar la memoria del chico, soñarle un pasado de dieciséis años, soñarle amigos, escuela, tablas de multiplicar, ocio, alegrías, enojos, traiciones, alfabetos, un poco de juegos de pelota, para que al despertar él fuera un chico normal. Así que salí del cuarto del altar, subí a mi habitación, me recosté a leer en el sillón rosado y a las cinco de la tarde me quedé dormida. Por este celo pudo la gorda de quien hablé también entrar al cumplimiento de sus anhelos. El territorio del don se vio ensanchado en trece horas de sueño. Y no es por nada, el chico de la rica, el hijo del banquero, me quedó de lo más simpático, con decir que la madre nunca tendrá que venir a pedirme que le acomplete yo la vida...

...Que le acomplete yo la vida...

Así acababan los papeles de la Milagrosa a que se refería la nota inicial. Adentro de éstos, doblados en las manos del cadáver, estaban las hojas siguientes en desorden, algunas de cabeza, otras con las caras mirándose la una a la otra, escritas a máquina, con distintas caligrafías o las más del puño de la Milagrosa. El autor de la nota no parece aludir a ellos al referirse a los "papeles de la Milagrosa", por lo que los he llamado HOJAS DE LOS SUPLICANTES. Dudé mucho si incluirlos aquí, dejarlos para el final o simplemente no incorporarlos al cuerpo de esta historia, pero terminé por ponerlos lo más cerca de los papeles de la Milagrosa, porque son, a fin de cuentas, escritos suyos las más de las veces, aun cuando, aclaro, nada tienen que ver con la historia grabada en la cinta que transcribiré al fin de la lectura de las

HOJAS DE LOS SUPLICANTES
(DE PUÑO Y LETRA DE LA MILAGROSA:)

—La fama... ¿Qué quiere que le diga de la fama? Que es una enfermedad para infelices. Mire, si alguien tiene su vida personal satisfecha, si es feliz en sus relaciones afectivas, si goza el corazón de la alcachofa de la vida en la cama y la charla es la delicia de la carnita adherida a las hojas, y si consigue esto con las personas que lo rodean (charla, humor, inteligencia, sexo), ¿para qué va a salir a guerrear contra el mundo? ¡Ni que estuviera loco! ¿Para qué necesitaría, siendo así, conquistar un lugar público?

—No me diga usted eso. Es lo contrario. Quien hace de su vida algo que intervenga en la vida de los demás tiene que sentirse satisfecho.

—Tal vez lo satisfaga de otra manera, pero si incurre en la vida pública es que es un insatisfecho.

—Imagine, si es como usted dice (usted, que tanto sabe del poder, la fama y sus mieles), los que ganan los espacios públicos, ganan el poder y el control de los demás... Los torvos insatisfechos nos arrastran a los felices.

—Pues así es. Por eso las cosas son como son.

—Y qué quiere pedir.

—Milagrosa, quiero que me conceda el privilegio de morir. No puedo suicidarme. Es un gesto fatal, ridículo, para el que no tengo valor suficiente, y que además sería usado por todos mis amigos para arrebatarme lo único que he tenido: mi imagen pública. Pero me he dado cuenta de la banalidad de todas las ambiciones, y no puedo aspirar a una vida dichosa, porque nunca la he tenido, porque no podría tener alegría en mi privacidad...

—¿Por qué no mejor me pide eso? Lo que toca a morir...

—A nadie le haría mal si yo muero. Mi mujer sentiría un alivio. Mis hijos no sentirían nada. Mis colaboradores se avorazarían sobre mi espacio, aunque terminaran por perderlo todo a la larga, y tal vez con el tiempo lamentaran mi muerte. No por nada, porque estar cerca de mi persona sería en su memoria el máximo triunfo, son una punta de imbéciles. No le pido que lastimemos a nadie, que le hagamos mal a nadie. Es un placer el que yo quiero pedir. No salgo huyendo de la vida, salgo porque me da la gana.

—Gracias por habernos visitado. Dios ponderará tu petición. En caso de que se cumpla lo que has pedido, no podrás venir a escribirlo en la libreta de "Últimos milagros"... pero si acaso puede —esto sí que lo dije en voz muy baja— acuda a mí, instrúyame en alguno de los misterios de la muerte. Quiero decir, si no se acaba todo, si, como usted y yo creemos, no hay Dios atrás de esto para recibirnos en su regazo negro.

✳

—Me violaron a mi niña.

—Cuando despierte mañana, nadie lo recordará, no habrá huella en su cuerpo ni en su memoria. No venga a dar las gracias. Lo relevo de tal responsabilidad, porque no recordará haber venido.

＊

—Se quemó mi marido. Quién sabe cómo, se guardó los cerillos encendidos en la ropa, esta ropa que se prende de nomás verla. Usted bien que lo conoce... es el que reparte los huevos.

＊

—No es cosa de él, son los amigos. Si él es muy bueno. Pero como todo el día están oliendo el tíner, el resistol cinco mil, pues se le están arruinando los sesos.

—A ver, chico, habla.

—¿Yo?

—¡Dígale algo a la Milagrosa!

—¿A quién?

—¡A la Milagrosa! A esta señorita.

—¿Qué le digo?

—¿Cómo te llamas?

—¿Eh?

—Que cómo te llamas.

—Memo.

—¿Cuántos años tienes?

—¿Eh?

—Cuántos años tienes.

—¿Eh?

—¿Este niño va a la escuela, señora?

—Hace ya mucho...

—¿Cuántos años tiene?

—Tiene trece.

—¿Qué le gustaba hacer antes del tíner?

—Le gustaba... Le gustaba... Pues, ver la tele...

—¿Qué más?

—La verdad que nada, santita, ¿qué le vamos a hacer? Como a mí. Si por mí fuera y pudiera dejar de fregarme, yo estaría ahí nomás tiradota, descansando de tanta chinga de tantos años, de veras, yo no sé por qué la vida es nomás fregarse...

*

(En letra casi ilegible:)

milagrosa:
como sé de sus bondades poke todos me an ablado dellas, kiero pedirle, suplikarle, que interseda ante Dios por mijo. soy una pobre biuda que nunca tubo marido. krie a mijo como me di a entender, labando ajeno, limpiando kasas, planchando por dosena. no tengo dinero pa ir a berla, ke maskeria, pero se como uste es mui buena sacara a mi Chelo dese aprieto injusto. bealo en la foto. sueñe con el. regrese a su bieja madre ke tanto lo nesesita. i otra cosa. a ber si le puede kitar de paso la fea kostumbre kel tiene dusar ropas de mujer o ke lo paresen. de ablar raro. de no tener nobia. de kaminar como si se le boltiara la mano onke no se le boltie. sakelo del reclusorio, llo se lo pido llorando kon el korason en la mano kel no merese este martirio. si es un buen chico.

*

(De puño y letra de la Milagrosa:)

—...me dejaste una pierna más larga que la otra. Vine a que me la repares.

—Pero, por Dios, si antes no tenías más que una pierna, y ahora tienes dos, y con las dos caminas, ¿que más te da que una esté un poquito más corta? Que te arregle un zapatero el tacón de tu zapato y te las emparejas. Yo no te sueño hoy. Ya ni la amuelas.

*

—... que ya me baje la regla porque no me baja y ya estoy en serio preocupada.

— ¿Cuántos años tienes?

— Doce.

— ¿Y para qué tienes urgencia de menstruar?

— Porque ya me bajaba, y me dejó de bajar...

— ¿Y hace cuánto que no te baja?

— Pues no sé, pero sí me acuerdo que la última que me bajó era el cumpleaños de Roberto y eso fue en diciembre.

— ¡Diciembre! Eso fue hace cinco meses.

— Por eso me preocupo, Milagrosa.

— ¿Y de veras ya menstrúas? Te ves reniña. Si acaso ya menstruaste y luego dejaste de hacerlo, no creo que sea lío... Estás muy pequeña para menstruar, cualquier desorden en el ritmo no creo que sea de importancia...

— ¡Cuál! Menstrúo y menstrúo, hace ya dos años... digo, menstruaba, porque ya no me ha bajado. Y creo que es por un niño...

— ¿Cómo que un niño?

— No sea así, me avergüenza que me pregunte... pero total, a alguien tengo que decirle... es que a Roberto le gusta meterme su cosita, y yo por qué le voy a decir que no, si es mi hermano mayor... Se imagina, si sí es un niño lo que cargo, mi mamá no me va a creer que fue Roberto, ¿pues cómo?, él es su consentido, y qué voy a hacer, me van a echar a la calle y yo ni pío, sin decir quién, ¿para que me digan mentirosa?, la verdad...

*

— Vengo porque estoy jurado.

— ¿Y?

30

—Que no puedo cumplirle a la Virgen el juramento. Me juré con ella, y no he bebido, como se debe, y no he bebido... casi, y tengo miedo de que por ese casi la Virgen me mate, por no obedecerle al juramento.

*

—Milagrosa, yo un día tuve una amiga... —Aquí se detuvo. Desde que había entrado a verme no había parado de hablar, explicándome quién me había recomendado, lo que sabía de mí, etcétera, como si a cambio del milagro ella tuviera que regar migas de cordialidad. Creo que hasta me comentó algo de las noticias del día. Era una mujer de unos treinta años, una típica rica clásica. Con clásica quiero decir que no estaba maquillada de más y que su ropa no lastimaba del mal gusto, como suelen ser las ricas. Parecía extranjera—. La tuve, pero se me murió. Íbamos juntas a la escuela, juntas a la primaria, a la secundaria, a la prepa, en la misma escuela de monjas, y siempre fuimos amigas. Cuando salimos de ahí, quién sabe qué le dio que se metió a estudiar medicina. Ahí fue cuando empezó todo mal, porque ésa no es profesión que una mujer pueda llevar sin... Bueno, a lo mejor me equivoco.

—¿Usted qué estudió? —le pregunté, porque me extrañó el comentario, ella parecía profesional, de seguro había ido a la universidad o a varias universidades.

—Yo soy actuario. Pero ella se puso necia con la medicina. Para colmo, entró a la Nacional, quién sabe por qué, contrario a la voluntad de la familia. Ahí conoció a quién sabe quiénes que la aconsejaron incorporarse a un programa especial de estudios, de medicina social, un programa que se terminaba en sólo cuatro años (menos que los que me tomó a mí recibirme de actuario), y luego ya no la vi... Se había ido a Nicaragua, a la guerrilla, dicen que porque se enamoró de un jesuita, yo no lo sé. Venía de vez en vez a México, me visitaba y hablábamos. Volvimos a ser amigas, creo que yo siempre sabía por dónde andaba, o por lo menos de quién era su corazón... Se acabó la guerra en Nicaragua, ganaron, y de ahí se fue a El Salvador, pero qué necia, se hubiera quedado en Nicaragua o se hubiera regresado aquí, que tanta falta hacen personas como ella... Me la mataron hace dos semanas. La torturaron, torturaron a los que estaban con ella en el hospital improvisado, a los niños de la escuela anexa, a las y los enfermeros, una carnicería. Alguien los delató y los agarraron a todos ocultos en unos túneles de topo que cavan los guerrilleros como refugio, que si no, no los encuentran, porque como ella me los había pintado eran perfectos. Yo lo que quiero pedirte, Milagrosa, es que nada de esto haya ocurrido. ¿Me entiendes? Quiero que ella no haya estudiado lo que estudió, que no haya conocido ni al jesuita ni el cebo de la guerra... Porque si sólo evitaras al delator, ella moriría tarde o temprano, o temo que así sería, viendo lo que pasó... ¿Podrías, Milagrosa, podrías? Es mi mejor amiga. Por favor...

✳

—Si las otras me salieron tan buenas, Milagrosa, ¿por qué me salió ésta así, tan díscola, tan mula, tan poco dócil, tan revuelta? No me lo va a creer, porque soy una mujer decente, pero el otro día, que llego y me encuentro a mi hija en la mera puerta de la casa a plena luz del día haciendo unas cosas...

—¿Estaba sola?

—No se me distraiga. Ya sé que vengo mucho pero no se me distraiga, Milagrosa, ¿cómo que sola?, si le estoy diciendo que estaba haciendo unas cosas, ahí enfrente de todos, bueno, que hasta la blusa traía desabotonada...

*

—Vengo a pedirle, para el partido del domingo, que nos dé el campeonato. Usted que todo lo cumple, ¿qué le cuesta? Nomás desvíe tantito el balón para aquí y para allá, y lo jala para su portería y lo aleja de la nuestra... Que no se vaya a ver amañado el partido, eso sí. Déjelos lucirse. Pero ya que se luzcan haga como que no son tan buenos como parecen, ¿no?

*

—Yo quiero, Milagrosa, si usted puede, que me quite las ganas de matarme. Que no se me quitan nunca. Ya ni sé cuándo fue la primera vez que las tuve. Pero al hospital fui a dar, con las muñecas tasajeadas. Yo no quiero morirme aunque me quiera suicidar, y eso que lo único bueno, acá entre nos, será que se me quite para siempre este apetito de matarme... Del último trabajo me corrieron, porque no podía concentrarme, me pasaba el día imaginando cómo me iba a matar al llegar a casa... A veces trataba, a veces no, y cuanto he tenido lo he perdido, concentrado en mi obsesión de tiempo entero. Tantas veces me he tratado de matar que a veces pienso que ya me morí, pero que como los gatos yo tengo muchas vidas...

*

—Tengo cáncer terminal. Dicen. Yo no les creo, porque nada me duele; me siento mal, eso sí, pero como si tuviera una gripe espantosa, todos los días, cada vez peor, desde hace un par de años. Por si acaso ellos tienen la razón, quítemelo, ¿no?

*

—Milagrosa, vengo a pedirle... No sé ni por dónde em-

33

pezar... Nunca nada me ha salido bien... Tengo problemas con el azúcar y me enfermo horrible a cada rato... No encuentro trabajo, sólo dos veces he encontrado y las dos veces me han corrido, no sirvo para nada... Ni estudié, ni aprendí... Nunca me ha amado ninguna mujer, pero tampoco me he enamorado, ahora sí que me alivianaría mucho que alguien me lavara la ropa y me diera de comer... De paso también que me quite lo zonzo al hablar... Que me regrese los dientes, porque ya sólo me quedan dos... Y no me gusta mi nombre, tampoco, ni mi apellido. Hágame todo distinto, porque éste que soy sirve para maldita la cosa. Eso es. Se me hace que es la mejor manera de pedir lo que necesito. Hágame otro. Uno que no sea como soy yo.

✳

—Soy Rubén, el jardinero. Ni me diga nada porque no oigo nada. Quiero pedirle que me regrese el oído, que me quite la giba y la nube de este ojo, que haga que me devuelvan el terreno que me robó el marido de mi hija porque me vio viejo y me echó a la calle, y eso es todo. Porque yo voy a seguir trabajando, con sólo ver bien y oír, y sin giba, yo creo que sí puedo...

✳

La señora entró llevando en la mano una botella. Sin darme ni los buenos días extendió el brazo y la puso frente a mis ojos. Era una botella de vinagre vacía y limpia, en la etiqueta tachada había sobrepuesto con grandes letras gruesas la palabra YO.

—¿La ve?

Yo lo que hice fue mirarla a ella, pero ella ni me vio, tenía fija la mirada en la botella. Puse más atención. La vi.

—Pues esa mosca soy yo, Milagrosa.

Volví a alzar la vista, pero de nuevo, ni me vio. Tenía el cutis prematuramente marchito; aunque no estaba arrugada, el tono grisáceo y pardo de su piel la hacía verse más vieja de lo que en realidad era. Tal vez estaba enferma. Hasta entonces me cayó el veinte de lo que me había dicho.

—¿Que usted...?

—Sí, mire, Milagrosa, yo soy esa mosca dando tumbos, desesperada por salir. Para colmo, mire:

Desenroscó la tapa de la botella y la dejó abierta. La mosca no se escapó.

—No me salgo, por ningún motivo, y llevo ya semanas ahí encerrada, desesperándome. Ayúdeme, por favor.

Entonces sí, alzó los ojos y me vio. Su mirada era de una dócil animalidad que me sobrecogió.

—Ayúdeme, por favor. Si no quiere creerme, no me crea. Mate la mosca, déjela salir o quíteme la obsesión.

∗

—Vengo a pedirle que mi patrón se enamore de mí. No porque él me guste, no, sino porque, mire, mi patrona me maltrata, el patrón me mete mano, el hijo me agarra aquí y allá, me matan de hambre, me encierran los domingos, si les quemo las camisas al planchar me dejan sin salir, y no veo a mis amigas. No me prestan el teléfono. Las más de las veces me retrasan mi quincena, que porque no tienen dinero. Si trapeo, me regañan porque trapeo disparejo. Si lavo, porque la ropa blanca no queda blanca, porque la roja tiene un poco de azul y la amarilla de roja, si guiso porque se me pega el arroz, de todo me regañan. Me levanto a las seis, y si tienen visitas ahí estoy yo, chambeando hasta más de la media noche... Usted dirá. Quiero que se enamore de mí el patrón, para que vea lo que se siente.

*

Escrito a máquina, en papel membretado
de la dependencia:

Estimada señora:

Quiero agradecerle mucho el favor recibido y pedirle que
por favor me lo retire porque creo que estaba mejor antes. No me acostumbro. Muchas gracias,

Lic. Ramírez Cuenca.
Subdelegado de Obras de la Delegación Iztacalco.

(*Abajo, en letra de la Milagrosa:*)
¿Quién demonios es éste y de qué me está hablando?

*

—Quiero poder volar.
—¿Volar? —pregunté sorprendida. Era un hombre extraño, feo, vestido con un traje azul marino, de casimir muy
fino, pero que le sentaba a su cuerpo como comprado de
segunda mano. Había algo en su persona que yo no podía
catalogar, y en este país cualquiera puede hacerlo a un
primer vistazo, porque ni los jeans ni el abaratamiento de
la ropa ni la televisión y el radio han hecho homogéneo el
habla y el vestido.
¿Quién era este señor?
—Soy profundamente rico. De niño soñaba con dejar de
ser miserable y parecía imposible. Fui pepenador desde
que tengo memoria, de una familia de pepenadores. Vivía-
mos, como los otros de nuestro oficio, al lado de los grandes tiraderos de basura, en Santa Martha Acatitla,
kilómetros de basura al aire libre sobre los que caminába-

36

mos para recoger lo reutilizable. Por eso ni soñar con ir a la escuela, ¡a soñar con dejar de ser miserable! Yo veía los restos de la riqueza y fantaseaba cómo sería la vida de quienes los poseyeron, mientras pepenaba y cuando regresábamos a la casa de lámina de cartón, sin luz eléctrica ni agua corriente, desde cuya puerta sólo podía verse el desierto interminable, colorido y fétido del tiradero de basura. Nuestra vista no alcanzaba otra cosa. Hasta que don Ramón, el entonces rey de la basura, recogió del basurero a mi hermana, la quiso para él, la puso a vivir en una casa hecha con ladrillos y cemento, que hasta tenía ventanas de vidrio, y agua corriente y luz, y excusado, y ahí fuimos a dar, poco a poco, porque ella es muy desprendida y generosa, uno a uno, todos sus hermanos.

Cada vez pasaba más tiempo con mi hermana y menos con las otras mujeres, y le fue enseñando a ella las cosas del negocio, y ella fue aprendiendo de él lo que su temperamento le permitía. Lo que no, lo aprendía yo, como por ejemplo a manejar a los pepenadores. Pasados cinco años, lo asesinaron, y como culparon a las otras tres mujeres, nos vimos dueños de todo. Mi hermana es generosa, ya lo dije, y no le interesó el reinado. Hace ya tres años que no vive aquí. Yo soy ahora el rey de la basura, yo controlo la venta de lo que se obtiene de ella, yo tengo a mi mando al ejército de los pepenadores. Soy rico, mucho más rico de lo que pude jamás soñar serlo, no tenía ni idea de que se podía ser así, como soy, múltiples veces millonario. Las viviendas de mis hombres no tienen comparación con las miserables que tuve que padecer de niño. Los niños tienen prohibido trabajar, por lo tanto tengo más familias trabajando para mí. Beneficiando a mi ejército me he beneficiado a mí. Soy poderoso. Un rey, como lo dice mi nombre.

Pero quiero volar, porque no descuidando en nada mis

negocios, no quiero volver jamás a oler la basura, ni a verla de cerca, ni a sentirla bajo mis pies. Es lo que vengo a pedir.

*

La historia de Balbina contada por ella misma.
En versión de la Milagrosa.

Soy Balbina. Vengo a pedirte amparo. Tengo una niña. No puedo verla. Tiene dos años. No hay nada más lindo que los niños, ¿no es cierto? Pues no me la dejan ver. Es mi dolor más grande.

He tenido otros. Algo me odia. No sé qué es ese algo. Mira —me enseñó un tatuaje en el brazo derecho—, esto me amaneció aquí un día. Yo no lo hice, no pedí que me lo hicieran, no vi que me lo hicieran, no sentí cuando lo hacían. Mira —la cicatriz de una cortada en un muslo—, igual fue con esto. Mira —la huella de una cesárea—, yo no conocí hombre alguno y me nació una niña. De ella no me quejo. Pero no querría tener las demás huellas de esa sólida pisada de odio en mi cuerpo. No por haberme ahorrado las palizas que me ha dado papá cada vez por cada cosa que dicen que hice, sino porque no me gustan, no van conmigo, no se parecen a mi persona, ¿yo para qué quiero un tatuaje? ¡Y cuando el odio me cortó el pelo y me lo tiñó como los punks de las bandas que andan en el barrio, qué vergüenza! Eso que me odia, se ensañó contra mí en cuanto tuve cuerpo de mujer. Antes no di a mis papás motivo alguno de enojo. En la escuela no di problema y siempre tuve buenas calificaciones, en la casa ayudé a mamá con todo el quehacer (siempre lavé yo con mis manos la ropa de mis hermanos, nunca me quejé de que ellos pasaran las tardes jugando, de que ellos sí pudieran hacer las tareas por las tardes, mientras que yo tenía que desmañanarme para poder hacerlas, porque tenía que levantarme antes que mamá para las tareas, que si no...

—¿Qué haces ahí sentada?

—La tarea, mamá.

—Cuál tarea, ni qué ocho cuartos. Véngase a ayudarme a hacer el quehacer, a lavar, a...

Y mis hermanos mirando la tele, persiguiendo si no la pelota, o jugando con los cuates en la calle mientras yo lavaba trastes, recogía la cocina, alzaba los cuartos, planchaba...). No me quejo, ni me quejé; no, no me estoy quejando, así era porque así es. Pero de la saña que se despertó contra mí en cuanto mi cuerpo no fue de niña, sino de mujer, de ésa sí que me quejo... Cuando mi papá salía a pasear por las noches, veía en la calle demonios revestidos con mi cuerpo mientras yo dormía en casa, y regresaba enfurecido a golpearme, sacándome de la cama, sin que yo entendiera qué o por qué. Y eran demonios, aliados con lo que me detestaba, los que vestidos con mi cuerpo hacían atrocidades que me avergonzaría imaginar, que no sé ni imaginar...

¡Ay, Milagrosa! ¡Ampárame! Quiero ver a mi hija, trabajar en alguna casa donde me permitan tenerla conmigo, y quiero que nada más mis propios actos marquen mi cuerpo o lo utilicen, equivocado solamente por imantar el odio que se ha ensañado contra él.

Quítame la saña de encima. Devuélveme a mi hija. No pido más.

✳

—Quiero que me des un novio muy guapo y que sea rico y que se quiera casar conmigo, y me quiera y me respete.

—No sé si puedo soñarlo.

—Pero si ya curaste a mi mamá, ¿por qué no podrás hacer esto?

—Porque si a todas las que me lo piden les consiguiera el guapo, tendría que sembrar antes un plantío de ricos, y tendría que conseguir cosechar en él tantos como nadie puede imaginarlos.

Amén.

*

—Auxílieme para encontrar otro trabajo, que yo no tengo alma de torero para aguantar éstas.

—¿De qué es tu trabajo?

—Lo mío es el reparto foráneo de refrescos. Y lo del torero es que me suben hasta arriba del tráiler a cuidar las cajas, y ni se imagina cuántos han muerto, arrollados por puentes o, cuando sobrecargan cajas de refrescos, bajo pilas de botellas vacías, bañados en el azúcar pintada de los refrescos, en cualquier curva pronunciada de la carretera, hechos picadillo... Para no ir más lejos, le cuento que acaba de pasar, pero yo venía en la cabina porque ni sé qué argüí del miedo, porque yo veía al tráiler inclinarse tanto que pensé "esta vez sí se cae" y arriba iban todavía mis dos compas cuando se voltea en la siguiente curva... Ni íbamos tan rápido... Yo salí como loco a pedir ayuda... Pedí un doctor a gritos... El tráiler había quedado volcado de tal manera que los coches no podían pasar. Que veo entonces a un señor que sale oficioso de su auto y dice "mi hijo es médico" y que lo veo bajar al médico, un delgadito muy joven y muy pálido, y avanzan los dos conmigo hacia el tráiler, el padre orgulloso, alzando la vista, el hijo con la vista clavada en la carretera, como si hubiera con qué tropezarse, hasta que nos contagió, y ahi íbamos los tres con la vista al piso cuando encontramos que bajo la montaña de cascos rotos no se avizoraba nada más que cascos rotos, y en nuestros propios pies un resto de sangre y refresco chorreando en el pavimento y que se pone el doctorcito a vomitar... Lo del torero lo saqué de él, porque mientras el padre lo tiraba de las orejas, recriminándolo por no atreverse a tratar de ayudar, llamándolo cobarde (¡siempre has sido un maricón y un cobarde!), él gritaba ¡soy dermatólogo, no torero, déjame en paz!, dicho que en su caso resultaba absurdo, pero que a mí me sienta de perlas... Yo reparto refresco, no soy torero, pero quiero otro trabajo donde no haya toro, plaza, picadores...

✳

—Dame sangre que no quieran los piojos. Siempre me están comiendo los piojos, ponme sangre que no les apetezca.

—¿Pero cómo va a ser esto?

—Pues que es así, porque si no es Juana la que trae piojos, es Chana, y siempre hay alguna que me los pase a mí. Luego yo los paso y cuando me los quito con los jabones esos hediondos que hay contra piojos, pues luego luego me regresan, mi sangre les encanta.

✳

—Hice algo por lo que me buscan los policías. Cámbiame la cara para que no me encuentren, que yo soy gente de bien aunque tenga mis debilidades y no quiero nada que ver con ellos.

✳

En papel rayado, engrapada en su esquina superior derecha una fotografía blanco y negro y tamaño credencial de un hombre de más o menos cuarenta años, sin ningu-

na seña característica, con una que otra palabra sobre-
puesta en letra de la Milagrosa:

Milagrosa:

El de la foto se llama José García. A los trece años llegó
a vivir a los arenales, con su mamá y sus tres hermanos
bien chicos. Me acuerdo el mero día cuando llegó, ya teníamos aquí más de tres años, y había de polvo, derrum-
bes, basura, que bueno, ahora ya estamos mejor... Como
a los dieciséis jaló a vivir con Lupe Torres (ya estaba
bien vieja, y ya usada por tres hijos, enjaretados con su
mamá a cambio de unos pocos pesos cada mes, dizque
para los niños, que se gastaba en pinturas para la cara,
porque la mamá de Lupe, igual que ella era bien, perdón, pero bien puta), para enojo de doña Cándida, la
mamá de José García, porque ahora quién le iba a
ayudar a cargar con los chicos.

Lo de José y Lupe duró poco más de tres años, y sólo
procrearon una niña. Tal vez por eso José jaló pal otro
lado y no lo volvimos a ver en nueve años, aunque de vez
en vez nos enviaba alguna carta, pero ni un centavo man-
dó ni a su casa ni a Lupe, ni nada, y todos creían que le
iba rebien, que por eso no volvía, que seguro ya se había
hecho allá rico, hasta que anoche, ahí estaba, en la televisión, en las noticias. Y un escándalo, porque resulta que
está condenado a muerte allá por los Estados Unidos y
que dicen que ya lo van a sentar en la silla eléctrica, ques-
que porque cuando robaba una tienda le disparó al dueño y lo mató, pero por más que le hago no me lo puedo
imaginar, digo, a José García matando a nadie, ni dispa-
rando a dueños, ni nada así, si él era bueno, de veras.

Apenas apareció en las noticias, acá en los arenales se
armó un revuelo, pues sí, todos los que tenemos años

aquí lo conocemos, y de inmediato nos reunimos donde hicimos la cancha de basquet para los jóvenes de aquí, que es donde siempre nos juntamos, y ahí estábamos ayer aunque fuera de noche, pero la Lupe tomó la palabra y dijo que por ella que lo maten, que para ella el José está muerto desde hace mucho, y doña Cándida, la mamá de José, dijo lo mismo, que aunque fuera él su hijo y ella su madre de balde lo había parido, que en nada la había ayudado, y que para ella José hacía mucho se había muerto, y el intrigante de Gómez de inmediato recordó lo del incidente de los cuartos robados, y como es cosa nunca entendida, todos se pusieron a alegar, pero ahora no por la vida de José García que ya nadie se acordó de él, y sé que de los arenales ya nada va a salir, ni quien alce la voz para salvarlo, ni quien pida que le respeten su vida, ni quien diga que él sería incapaz, yo estoy segura, de matar a nadie, ni creo que de robar en tiendas como ya dije, y menos robar joyas, que es lo que él robaba, según dijeron las noticias, que si se viera en la necesidad pues sí, se robaría comida, pero entonces nomás pan que ni a queso llegaría, si él es bueno y honesto, yo lo sé de seguro, que yo sí que lo conozco, me lo acuerdo desde que entró por primera vez a los arenales, y el modo suyo de caminar, y me acuerdo de cuando íbamos juntos a acarrear agua, de cuando la Lupe se lo robó, cuando su mamá lloró por su ida, todo me acuerdo, hasta del día en que lo bautizaron los otros chavos con arena blanca por recién llegado, y que no lloró con todo y que a las burlas de los muchachos se sumaba el ardor de la cal esa infame, y me acuerdo también cuando se fue para no volver. Yo corrí a despedirlo, porque lo vi cargado de cosas y pensé que se iba y le dije lo que sé, que yo lo esperaría siempre, que desde que lo vi lo había amado y él nomás se rió, pero llegando a donde fue me envió esta foto, que yo amo, después de él, más que a nada en el mundo, y no me desharía de ella por nada, y a nadie se la había siquiera enseñado, pero en cambio a mí mucho, que es con ella con la única persona con la que hablo las cosas de mis sentimientos, y la única a la que le confío mis secretos, pues lo único que yo tengo es querer a José García, porque no he querido a ningún otro, pero si hoy se la envío a usted es porque sé que usted me va a ayudar a salvarlo, que aunque sea prieto y feo no me lo van a matar los güeritos, que usted los va a hacer entrar en razón y darse cuenta que se lo quieren echar por un motivo injusto.

※

Milagrosa, yo vengo a pedirle que llegue semilla a la tierra de mis padres, para que en la siguiente cosecha tengan con qué sembrar y qué vender, que la que antes nos daban ya no nos la dan, que no nos pase como a los de Matehuala, que por miles piden limosna a las orillas de la carretera, implorando por lo que nunca recibirán hasta que Dios les tenga piedad, o la Virgen, y se los lleve consigo, porque si no es así, se morirán de sed y de hambre antes de que este año termine. Haga, entonces, que llegue semilla a mi tierra, por lo más preciado, que hay niños, yo se lo pido, tres hijitos míos viven allá, y mis hermanitos, yo aquí trabajo para juntarles para sus ropas, sus lápices, y alguna que otra vez, en día de Reyes, les he llevado pelota, cuerda para saltar y chocolates. Téngales piedad, Milagrosa, dénos sacos de grano para mi pueblito, que aunque yo no me compre ni una prenda, ni zapatos, ni pague el corte de cabello, ni lo enchine, ni gaste un centavo en las pinturas de la cara (sólo las uso los domingos, el día de salida) ni así podría juntar para comprar la semilla que les falta.

Y el grano puede ser haba, de preferencia, porque se

vende luego mejor, pero si no puede ser ajo o papa, o alguna flor, o lo que usté quiera, pero si prefiere frijol o maíz, nos resignamos, que peor es nada.

*

La batalla del pañuelito

Son mis manos quienes suben el pañuelito y tal vez también quienes lo bajan, pero en ambos casos en contra de mi voluntad. Este subir y bajar se repite toda la noche, como único sueño, sin conseguir abandonarlo en bien de los suplicantes del día, por más que lo intento. Una noche inútil, sin milagros, poblada solamente por la batalla del pañuelito.

Cuando veo el pañuelito arriba, cubriendo la cara, siento escalofríos. Se pega a los rasgos como si estuviera húmedo, pero sé que no lo está, que es la pura humedad de la muerte. Hay un momento en que el pañuelito parece secarse, un viento corre entre el propio pañuelo y la cara inmóvil que recubre su tejido. Entonces, las manos lo toman de una esquina, lo alzan y lo llevan quién sabe dónde. El rostro, lo único que veo de ese cuerpo, parece dormir serenamente. No se mueve, pero por las comisuras de los párpados, unas lágrimas se deslizan diminutas. Me acerco a ellas. Nada habla en su juguetón cuerpo de la muerte. Parece que, incluso, vienen cantando. Me alegro, viendo las lágrimas, de que hayan quitado el pañuelito. Me alejo un poco para ver entero el rostro. Todos somos fracciones: él sólo cabeza, yo, por una parte, manos, por otra, ojos, no tengo la menor conciencia de unidad de mi cuerpo. Cuando quiero besar la cara, porque un breve quejido como de cosas secas cayendo sale de sus labios (se abren, se cierran, con algo de mecánico, y otro poco de carne tierna), para aliviar el dolor que adivino en el viejo, no puedo recurrir a mis labios. ¿Dónde están? Sí, ¿dónde están mis labios? Querría besarlo...

Una inmovilidad atroz recorre la cara del viejo, paralizándola. Quedan sus ojos secos, una sonrisa congelada que no le vi ejercer en vida, como máscara falsa en su rostro de muerte. Entonces el pañuelito sube, sin que nada lo pueda detener. Siento dolor por la muerte de quien desconozco y al que he llegado a amar en el vigor de su batalla contra la muerte.

A media mañana, un sobresalto. No puedo recordar dónde quedó por último el pañuelito, si cubriendo o no su cara. ¿Murió el viejo? ¿Vive? Quiero soñar esta noche que él vive y que está sano. Quiero verlo caminar. Quiero que en vida sonría. Pero más que todo quiero volver a ver sus lágrimas tibias hablar conmigo y sonreírme, sus lágrimas involuntarias que nada tienen de tristes.

Por lo demás, no me interesa saber cómo entró él a mis sueños.

...

(Cosa curiosa: dos días después del sueño y las anotaciones, llega la siguiente nota, sin firma ni foto a casa:

Murió ayer.
Quítale el pañuelito de la cara.
Es lo que más quiero.
Él es lo único que tengo.
Así como lo cubrieron ayer con el lienzo oscuro,
descúbrelo tú, que eres Milagrosa.
Le cerraron los párpados.
Ábreselos tú, hoy por la noche.
Tiene que ser hoy.
Mañana lo sepultan.
Ábrele los ojitos.
Que respire.

Que hable.
Que viva.

No sé si deducir con esto que fracasé en la batalla del pañuelo o que ésta empezó dos días antes para entrenar la victoria, para que el viejo permaneciera con vida.)

✳

—Vengo a pedirle que mi hija no se vaya con ese hombre.

—¿Se la quiere robar?

—No. Se quiere casar con ella.

—¿Y entonces? ¿Él bebe?

—No.

—¿Es holgazán?

—Es trabajador, y tiene empleo fijo.

—¿Es mujeriego?

—No.

—Déjala irse con él, no me pidas que le haga el mal a tu niña. ¿Cuántos años tiene?

—Tiene veintiuno. Ya está en edad. Es mi mayor. Nació cuando cumplí dieciséis...

—¿Entonces?

—Ese hombre fue el mío muchos años. Todavía antes de que me pidiera su mano me andaba cortejando, y como yo nunca he sido casada, nunca le he dicho no. Es por eso, Milagrosa, que le pido lo que pido. No que lo quiera para mí, yo tengo tres hijas y no quiero hombre en casa para que me las robe o abuse de ellas, que ya son mujercitas, y las he cuidado y celado mucho, le juro que están nuevecitas y las tres son muy limpias, y honradas. Por ellas no me casé nunca. Y aun así, éste al que nunca dejé entrar en mi casa me la quiere robar. Dígame si es justo, si está mal lo que le pido.

—Yo quién soy para juzgar... Dios ponderará tu petición (etcétera.)

✳

Quiero pedirte que le regreses la alegría a mi niña, que desde que le dio la fiebre y las convulsiones no ha vuelto a sonreír, está tumbada en su sillita como una muñeca, con la cabeza gacha y los ojos fijos, con la boca entreabierta y el hilo interminable de baba que nunca acaba de salir. Cuando me la regalaron, yo la acepté pensando sólo en hacerla feliz, en darle mi cariño para que fuera una niña alegre, lo demás no me importaba, que lo mero bueno de la vida es la alegría, a mí me parece, y ahora por más que la abrazo, aunque le acaricie la cabecita y le zangolotee la muñeca de vestidito colorado que era su preferida, haciéndole como que baila, no hay manera de que haga ni una sonrisa. Eso vengo a pedirte, Milagrosa, porque los doctores no pueden curármela. Ahora que si de paso le quitas lo demás que le dejó la fiebre, la mano torcida y el pie que le arrastra cuando camina y el silencio (porque ni una palabra dice ahora mi niña, ella que era como un cascabel parlanchín), yo te lo agradecería muchísimo, porque así será todavía más feliz adentro de la alegría que yo vengo a mendigarte para mi niña.

✳

Vengo para que llueva porque el ganado ya lo está resintiendo. Que llueva, porque en todo el año no ha caído una gota en nuestro desierto. Aquí estamos (sacó un mapa de su cartera y me señaló un punto), es aquí.

Con su permiso. (Y salió, como entró, rápido, con su sombrero, alto, guapo, altivo, el zacatecano.)

✳

**En una hoja arrancada con extremo cuidado
a una libreta, con letra de la Milagrosa:**

Divertimento posible:

Ver entrar a los suplicantes y desconectar el oído. Imaginar por su modo de andar (o no andar), por sus miradas, por su gesticulación, sus ropas, sus lágrimas o su risa, qué es lo que me piden, cuál es el milagro que necesitan y después ver entrar de nuevo al mismo suplicante y escuchar qué pide y por qué. Cotejar si se equivocaron mis conjeturas.

Pero no me atrevo a jugarlo sin la posibilidad de repetición, porque, ¿si me equivoco?, ¿si doy y quito lo prescindible, equivocado o detestable?...

✳

Pesadilla de la Milagrosa:

Dame por favor padre y madre que me amen, porque me tiraron a la calle cuando nací y nunca volví a saber de ellos. Quítame a mi padre y a mi madre de encima, que me hacen la vida de perros. Dame. Quítame. Dame más, quítame un poco. Otro poco. No tanto, que así la vida es insufrible. Milagrosa, regrésame a mi hijo. Dale la salud a mi hijo enfermo. Quítame a ese holgazán de mi vida. Quítale el vicio. Dale algún vicio que no sea yo. Milagrosa, milagrosa, dame, quita, dale, quítale, dame más, otra vez... Milagrosa... Compón, arregla. Haz que la olvide. Haz que me recuerde. Haz que no haga. Haz que haga. Milagrosa. Sé milagrosa una vez más y dime qué debo pedirte que no me haga mal. La peor pesadilla es que se cumplan nuestros anhelos. Milagrosa, milagrosita, ¿tú no tienes sueños para ti? Escápate Milagrosa, ven a nadar conmigo al mar. Que te saldrá una cola. Que te saldrán dos. Que te saldrán tres. Que te saldrán cuatro. Que no llora el niño, que si llora, que si son los dientes, que si tiene la cabeza llena de agua, que si nació con bocio, que si mírele, santita chula, mírele, en el centro de la frente se le está abriendo un ojo, ¿para qué se lo habrá dado Dios? ¿Para que nos espíe a través de él? No se lo quite. Haga que vea. Haga que sea Dios quien mire en él. Amén. Y los demás que no se chinguen. Haga que no se chinguen. Que se limpie el aire. Que no tengan hambre mis hijos. Que no me dé hambre que me estoy poniendo muy gorda. Que me dé hambre, que estoy enferma de no tener apetito y ya he estado en el hospital por eso. Que me guste, que no me guste, que sí y que no, que todo se acabó. Que los desechos de la fábrica de al lado dejen de poner loquitos a nuestros hijos, o que por lo menos no hagan que nazcan sin cerebro. Que no me nazcan más hijos. Que me nazca un hijo. Que sea niña. Que sea niño. Que sean gemelos. Que no vayan a ser gemelos, por Dios, Milagrosaaaaa...

fin de los papeles de la Milagrosa

Lo que sigue son las páginas en que se transcribe la grabación que contenía el cassette marca Sony, 120 minutos, lo único que falta por consignar aquí del material sujeto por el muerto. Se le conocerá por

LA GRABACIÓN DEL MUERTO

Mi nombre es Aurelio Jiménez. Soy investigador privado. Hace años presto mis servicios a los hombres que controlan el Sindicato de Trabajadores de la Industria Textil. No es por gusto, en estos tiempos son los únicos que contratan.

Grabo estas palabras como prevención. Si nos ocurre algo, y es muy probable que nos ocurra algo... Pero estoy perdiendo el tiempo. Empiezo: el Sindicato me encargó seguir a la Milagrosa, concretamente encontrar con qué arruinarla. El primer día de seguimiento, fui a la cabaña donde se le guarda gloria, o algo por el estilo. A la entrada había un letrero que decía:

La Milagrosa cura enfermedades, quita el alcoholismo, remedia defectos de nacimiento o contraídos en accidentes, sana problemas de carácter, lleva el bien a todos los hogares y a cuanto corazón herido pida auxilio. No pide nada a cambio, más que digamos que el don le fue dado por Dios para su mayor gloria, y porque la vida misma es en su esencia un misterio milagroso. Y pide a todos los beneficiados que aquí anoten la naturaleza del milagro concedido,

51

siempre y cuando lo permita el respeto a todos los posibles visitantes, de cualquier edad, que llegan a expresar su agradecimiento y amor a Dios en esta cabaña. (Prohibido escribir malas palabras en los agradecimientos.)

En la cabaña, el piso es de tierra, el techo de paja, con un falso plafón blanco que no engaña a nadie, bastante triste en su miseria de tela enyesada, no suficientemente tensa, hecha por manos inexpertas. La casa donde la Milagrosa habita y recibe es de dos pisos, y su construcción es más que austera, aunque no lo parezca en su barrio, Santa Fe.

Las paredes de la cabaña, más amplia que la planta baja de la casa, son de palos de madera, mal tallados, cubiertos con los agradecimientos de los milagros, bien sean milagritos, en cantidades fabulosas, letreros, fotografías, y dibujos, a la manera de los exvotos. Hay dos hileras de personas enfiladas hacia la casa de la Milagrosa. En una (según reza un letrero en la fachada de la casa, llamada LOS SUPLICANTES) la gente espera ser recibida. En la otra, llamada VÍSPERAS, los que ya han sido recibidos por ella, esperan ser curados in situ.

No dispongo de mucho tiempo para grabar aquí. Para no distraerme y avanzar con mayor rapidez, grabaré una selección de las anotaciones que fui tomando después del primer día de seguimiento, que se me fue en recorrer la cabaña, los alrededores de la casa de la Milagrosa, las hileras de suplicantes.

segundo día de seguimiento:

Lupe, la secretaria del Sindicato, me concertó una cita con la contadora Norma Juárez, que visitó hace pocos días a la Milagrosa, según leí en la cabaña, en la libreta de milagros. La elegí por tres motivos: era mujer, tenía un empleo estupendo (por lo tanto se podía pensar que vivía como rica), y su casa quedaba por mi rumbo. La historia que ésta me contó es así: una pareja recurre a la Milagrosa, el hombre a espaldas de la mujer, ella (Norma) a espaldas del hombre, en días sucesivos. Primero acude él, un hombre rico, que en su momento debió haber sido muy bien parecido (Norma me mostró su fotografía), de unos setenta años. Lo que pide es juventud:

—¿Y por qué quiere usted ser más joven?

—Tengo treinta y pico años más que la mujer que yo amo. Necesito juventud.

—¿Sólo para eso, o hay otros motivos? —le preguntó la Milagrosa.

—Sólo para eso.

—Está bien. Procuraremos que sea usted más joven para ella, y para usted mismo, pero en su apariencia lo será solamente para ella, nadie más notará el cambio.

Se despidió de él como lo hace de todos los suplicantes, esto es:

—Gracias por habernos visitado. Dios ponderará tu petición. Si te es concedida, agradéceselo a él siguiendo las indicaciones de los carteles que encontrarás a la salida.

A la mañana siguiente, él despertó sabiéndose más joven. Al caminar se sintió más joven, y al respirar, y al sentarse, quince años más joven. Pasó a la cabaña de la Milagrosa a anotar la constancia del milagro, "Hombre ya mayor agradece infinito a la Milagrosa el favor recibido" (lo vi escrito en esos términos, sin firma, teléfono, nombre, dirección), y dejó una limosna bastante sustanciosa. No le cabía duda de que era más joven, y en el espejo asombrosamente se lo pareció a sí mismo. Citó a cenar a la amada en un restaurante. Ella lo vio más joven que nunca, sin poder concretar, cuando se lo solicité, cuántos años menos aparentaba:

—Digamos que parecía de cincuenta... Lo vi más guapo que nunca. Claro, yo lo quería tanto que... perdóneme, es que no puedo contener las lágrimas cuando pienso en él. Aún lo quiero.

—¿Parecía de cincuenta?

—Yo qué sé... Escogió un restaurante en penumbras, del tipo que él detesta. Cuando llegué, Felipe ya estaba en su silla, y para irnos pidió primero nuestros coches en la puerta. Cuando nos los anunciaron, él se quedó inmóvil, en su lugar (cosa muy extraña, porque él es un hombre educadísimo) y un mesero me acompañó al coche. Nunca lo vi a la luz directa.

—Aun así, ¿un hombre de setenta años parecía de cincuenta?

—Sí, más o menos... Pero Felipe no tiene setenta aún...

—Los parece.

—Él dice que tiene menos.

—Le repito la pregunta, ¿un hombre de casi setenta años, parecía tener cincuenta?

—No me fijé bien, es la verdad, quiero decir en ese detalle. Creí verlo tan joven porque lo quería aún más.

—¿Después?

—Me alcanzó en casa. Antes de entrar me pidió que apagara la luz. Así, en la oscuridad, se consumó nuestro amor. Era lo que yo más deseaba, él lo había rehuido, diciendo que le avergonzaría amar un cuerpo tan joven. ¡Y ni soy tan joven! Varias veces me había tenido desnuda en sus brazos, me había tocado, él sabía que yo era de él. Pero temía su edad, y yo creí que esa noche lo envalentonaba la oscuridad, y la certeza de que así (con un vigor y un cuerpo que me asombró al tacto por su juventud) no nos separarían los años.

—¿Después? —no sé cómo acerté a decir una sola palabra. Sus confidencias me hacían desearla, lo que quería era también yo estrecharla en los brazos, desnuda.

—Se despidió con un beso. No permitió que encendiera yo la luz para vestirse. Salió tropezándose, y silbaba de alegría. Durante la noche no pude dormir de tanto amor. Otros días él había hablado de la imposibilidad de casarnos, alegando que él me castigaría con la diferencia de edad, que atarme a un hombre cuarenta años mayor que yo era un crimen. ¿Usted cree que a mí me parecía un crimen? Yo lo único que quería era estar con él. Casarme no, Dios me libre, ¿para qué?, si todavía no consigo el divorcio de mi exmarido. Sabe, él se apellida como usted...

—¿El vejete?

—No, mi exmarido, Giménez, si cuando su secretaria me pidió la cita, por un momento pensé que era él, y creo que por eso acepté, porque me desconcertó... Giménez, con G. ¿Cómo lo escribe usted?

—Yo con jota.

—No es igual. Pero volviendo a la historia, si yo tengo mi casa, él tiene la suya, el amor es tan frágil que para qué complicar las cosas... Esa noche, Felipe habló de nuestro amor como nunca lo había hecho, como si le tuviera tanta fe como yo. Dijo que la atracción de nuestros cuerpos y espíritus nos aproximaba en edad. Dijo que me amaba tanto y con tal vehemencia que creía destrozada la distancia de los años... Lo vi tan feliz, tan hermoso, tan joven, que cometí el error de querer aproximármele aún más, y por avorazada... Así que, sin haber pegado el ojo, brinqué de la cama al amanecer, me di un duchazo, y vestida con lo primero que encontré me dirigí a la casa de la Milagrosa. Cuando me recibió le pedí edad.

—¿Y para qué quiere usted que es tan hermosa tener más años sin haberlos vivido?

—Amo a un hombre cuarenta años mayor que yo. Tengo treinta y él tiene casi setenta.

—¿Y?

—A él lo apesadumbra.

—¿Es sólo para eso?

—Sí.

—Desde mañana procuraremos que él te vea veinte años mayor de lo que eres. No habrá cambio alguno en tu salud, y a los ojos de los demás seguirás aparentando treinta. Gracias por habernos visitado...

En casa, se repitió lo ocurrido la noche anterior, sólo que más temprano. Nos hicimos todo tipo de promesas. Yo le dije que pronto podríamos encender la luz para amarnos, que el error de nuestras fechas de nacimiento pronto sería vencido, y él pareció emocionado. Me costó trabajo echarlo de la casa para poder cerrar los ojos antes de las doce.

Al despertar supe que yo tenía veinte años más. Bueno, usted no los ve, pero yo los tengo. Fui a la cabaña, agradecí el milagro, regresé y al verme al espejo vi mis cincuenta años. ¡Cuánto me alegraron! Yo no podía verme más que como me veía él, no tengo más valor que el de ser, o dejar de ser, su amada. (Aquí yo debí interrumpirla. La chica es un forrazo juvenil que ni siquiera parece de treinta años, con unas piernas largas que a cualquiera le cortan el aire, nalgona como se debe ser y acinturada.) Cuando lo vi a la noche, le dije que podíamos olvidar la oscuridad, que yo ya tenía veinte años más para aproximármele, él alegó veinte menos, y al encender la luz... Nos hablamos de nuestras mutuas visitas a la Milagrosa. Sin tocarme, se vistió y se fue... No ha vuelto a llamarme. ¿Usted cree que era amor lo que él sentía por mí?

No tenía por qué contestar a sus preguntas. Debí intentar abrazarla; desolada, hermosa y llorona lo hubiera permitido. Como el falso joven, no dije nada y me fui.

Para mí que todo esto de la Milagrosa es pura alucinación colectiva. (Perdón, pero he leído esta frase tal y como la anoté ese día. Sigo.)

tercer día:

Hablo con los vecinos de la Milagrosa. Éste debiera ser el callo más fácil de pisar. ¿Cuál vecino no se quejaría de ver a diario frente a su ventana hileras de contrahechos, enfermos, desequilibrados, posibles suicidas, seres a la orilla de la bancarrota sentimental, sidosos y otros enfermos incurables? No es difícil imaginar que junto a ellos llega basura, vendedores ambulantes, coches que se estacionan en lugares prohibidos, y la posibilidad de la diseminación de enfermedades temibles. Debiera ser el callo más fácil de pisar... si no se toma en cuenta el barrio. Hasta donde vi, los vecinos de la Milagrosa están felices de serlo. Ellos son los vendedores que se aprovechan de la llegada de los suplicantes. Correr la bolita de sus milagros parece ser parte del negocio. Ellos se encargan de limpiar la basura. Ellos aconsejan a los suplicantes, les dan esperanzas, les recomiendan de qué manera hablar, cómo entrar, cómo ver a la Milagrosa para poder pasar a sus sueños. Venden amuletos, refrescos, tortas, y recurren a la Milagrosa cuando lo necesitan.

En otro orden: desde la muerte de la madre de la Milagrosa, los vecinos se encargan de su mantenimiento, le dan de comer, le lavan la ropa, la visten (la Milagrosa jamás deja el terreno de la casa y la cabaña), recogen las limosnas, las administran para las pocas necesidades de la Milagrosa y mejoras al barrio. La escuela salió de sus milagros, y también la guardería. El parque salió de los milagros. El pavimento. El alumbrado público. La cancha de basquetbol.

Debiera ser callo, pero los vecinos son el ejército incondicional de la Milagrosa. Averigüé nombre y dirección de su casera, porque la casa en que habita no es de ella. En cuanto pueda la iré a ver.

Visité a la señora que le cose la ropa a la Milagrosa. En torno a ella se teje una leyenda. Tampoco sale de su casa, por petición expresa de la Milagrosa. Es de edad indefinida.

—¿Así es que usted quiere escribir un libro de la Milagrosa? —con esta patraña he conseguido que todos aflojen amabilidades—. No le va a alcanzar un libro para escribirlo todo. ¿Sabía usted cuántas libretas llevamos nosotros?

Se refería a las libretas "Últimos milagros". Lo que no he conseguido es que alguien me diga dónde están esas libretas, sólo he conseguido ojear la que está hoy día en la cabaña.

—Llevamos cuarenta y tres de quinientas hojas. Haga la cuenta de cuánto milagro fabuloso. A mí misma me salvó la vida. Tenía cáncer terminal. Luego me la volvió a salvar; desde entonces le coso la ropa. No me importa no poder salir de este cuarto, comparado con la oscuridad de la tumba es amplísimo como un vasto mundo. Además, están los libros... ¿Nadie se lo ha dicho? La Milagrosa lee mucho, desde niña. Desde que le coso la ropa, yo debo leer lo mismo que ella está leyendo. Al principio me costaba trabajo, no entendía ni pío. Ahora le diré que hasta me gusta, aunque hay veces que no entiendo cómo una santa como es ella lee cada cosa...

—¿Como cuál?

—Yo no sé si usted entienda de esto. Ahora leemos a Nabokov.

—¿De dónde sacan los libros?

—Los trae Ray, un chico que trabaja en una librería que

58

se llama El Parnaso. La Milagrosa se los pide, él viene en las noches a traerlos. Dos ejemplares de cada título, uno para la Milagrosa, y el otro me lo trae aquí.

—¿Y dónde están los libros?

—¿Nadie le ha hablado de la biblioteca? Vaya a verla.

—¿Y por qué lee usted lo que ella y al mismo tiempo?

—También como a diario lo que guisan para ella. Diario lo mismo que ella. Y me informan a qué hora me debo acostar, y me avisan cuando ella se ha levantado, para que entonces deje yo la cama. Porque yo le coso la ropa, señor. La ropa de los milagros. La de color blanco que usa de día y la del mismo color que usa de noche. La de la noche nunca la vuelve a usar, si no sueña, si algo sale mal. Pero de por sí no la usa demasiados días. Me la envía de regreso, yo la pinto, la achico, y va para la bolsa del vestido. Para las niñas del barrio. ¿No se ha fijado lo bien que visten? Son los vestidos de los milagros. Los que no conceden los milagros los corto y los hago trapos. Con esos lavan los carros de los suplicantes ricos, porque ni para nuestras cocinas los usamos, no vaya a ser...

Si las limosnas dan para tanto (desde parques hasta trapos) pienso que a lo mejor aquí hay callo.

cuarto día:

Las libretas de los milagros son un misterio: no están tampoco en la biblioteca. En cambio las de las cuentas pueden ser consultadas por cualquiera. No sé de números, pero huelo cuando hay algo sucio, y ahí no hay nada sucio. Primero, un tal "el gordo Eusebio" llevaba las cuentas, y según consta ahí se asignaba un sueldo, pagaba al de la basura, pagaba a quienes mantenían en orden a los suplicantes, pagaba a la madre de la Milagrosa por los cuidados y creo que todos esos pagos eran para la bolsa del gordo ese. Porque todos esos pagos desaparecieron cuando él dejó de llevar las cuentas, y además hubo más dinero como por embrujo. La Milagrosa no gana un céntimo. El bolsillo de nadie gana un céntimo, ¿para qué? Así todos han ganado más sin deshacer su grueso patrimonio en bicocas.

Se anotan los gastos de entierro de la madre de la Milagrosa. Los gastos en tela, botones, hilos, comida sencilla. Libros, papelería (escrupulosamente anotado: libretas, hojas, plumas). Es lo único que se podría creer ella ha gastado en su propio provecho. Y la renta de la casa, el arreglo de la cabaña, las flores dos veces por semana para la Virgen. Es todo. Ni un peso en chocolates o cualquier otra cosa. Me encantaría ver que algún farsante acusara a la comunidad de no pagar impuestos, si con las limosnas levantan lo que los impuestos debieran financiar, si no estuvieran siendo usados en sus campañas políticas y en mantener escritores y otros holgazanes, amigos o auxiliares de secretarios y presidentes.

quinto día:

Amanezco aún ebrio. Me tomo dos copas al hilo, convencido de que me volverán a dormir. Despierto hasta la tarde. Me duele la cabeza. Mientras tomo un café recuerdo la noche. No puede ser. No lo puedo creer. Parece que nunca aprendo. Soy un viejo muchacho. Y cuánto de mucho me gustan las mujeres, hasta las putas...

sexto día y siguiente:

Visita a la Milagrosa. Llego temprano, a las ocho de la mañana, y encuentro ya una larga hilera de suplicantes.

60

Me resigno de inmediato. Traigo el periódico. Emprendo el crucigrama. Venden café. Observo a la gente: frente a mí una pareja extraña, ella gorda, bestial, de vestido rojo y sin medias. Él, no hay mejor palabra para describirlo en su enormidad, aguado. Ella en cambio tiene más carne que piel, y parece que revienta en el vestido. Su única ventaja es que entre tanta gordura no se permite ni una sola arruga, y podría parecer muy joven a cualquier incauto. Él, en cambio, menor que ella, tiene el tipo de exceso de peso que se podría llamar "fláccida piel de elefante". Vienen de la mano, y por nada se la sueltan. Yo imagino: van a casarse, él es el último tren de ella, y tiene un problema de impotencia. Capaz que la Milagrosa se lo quita y hasta por el culo le dará a su cochinita. Cochinita pibil. También es rojiza de piel. Se ríe inescrupulosamente mientras él nervioso suda, a punto de correr de vergüenza. Entre ellos y yo hay un joven. No consigo fijar en él la atención. Ve su reloj. Parece que no está aquí, con nosotros. Yo lo salto con la misma displicencia. Más adelante una mujer muy mayor, que no puede caminar, sentada en la silla que el nieto empuja con dificultad. Más adelante un miope grotesco. Si no viene a pedir que ella le baje las dioptrías, es un imbécil. Aunque tal vez tenga diabetes, no lo sé. Tampoco me interesa gran cosa. Más adelante, una mujer con un hijo enfermo. Es de ésas que si tuvieran dinero irían al doctor, y curarían al hijo con tres tomas de un jarabe que no se puede dar el lujo de comprar. Si se cura, creerá en el milagro, yo creeré que la Milagrosa le regaló unos pesos para el jarabe. Luego una calva, seguro viene por pelo. Un regordete de labio leporino. Atrás de mí, un tartamudo. El de enfrente sigue con la manía del reloj. Cuando sólo falta la pareja, la mujer de la silla (ya se meó la vieja, no sé si alguien más ya se dio cuenta) y el miope grotesco, el del reloj saca un teléfono celular y ha-

61

ce una llamada. Eso sí que me asombra, ¿qué hace ese insignificante con celular? No puedo escuchar lo que dice porque el tartamudo intenta en ese momento explicarme que eso que sacó el insignificante es un tetetetelelelefffffono cecelcelcelcelular. Conjeturo que llamará al legítimo dueño de ese lugar para que lo ocupe. No me equivoco. En quince minutos, cuando el miope ya está en la hilera de vísperas y la vieja de la silla adentro, a punta de empujones, y el crucigrama prácticamente terminado, sólo me falta el veintinueve horizontal (que se quedará por siempre vacío), un carro del año, un Thunderbird negro, se detiene al frente de la casa de la Milagrosa. El chofer baja a abrir la puerta del patrón sentado atrás. ¿Cuál no sería mi sorpresa cuando veo bajar al vejete que la rorra que entrevisté imaginó de cincuenta? Y cuál va a tener setenta, para mí que tiene más. Antes de que su automóvil volviera a arrancar, con el del celular sentado al lado del chofer, no resistí la tentación de explicarle que había visitado a Norma Juárez, porque quería saber cosas de la Milagrosa (también a él le dije la patraña del libro), y que había visto la foto de él... Y que me sabía la historia de sus mutuas visitas. Me miró con cierta extrañeza, pero de inmediato empezó a hablar conmigo, con vigor, como si por algún motivo no quisiera soltarme.

Algo serio tendría la vieja de la silla que no salía nunca. O estaba tan vieja que hablaba lenta, lenta, o a lo mejor ella ni podía hablar y estaría la Milagrosa adivinándole los pensamientos bajo el olor a meados de la falda. Meados que por cierto pisábamos en este instante el vejete y yo. El caso es que nos enfrascamos en la charla, y cuando le tocó pasar me jaló con él diciéndome:

—No me reproche el haberla dejado. Ya sé que es muy linda. Pase, me ahorra palabras, vengo a hablar de esto con la Milagrosa.

Yo imaginé que venía a recomponerlo todo, a hacer un ajuste de años, a pedirle a la tipa que regrese los treinta de su niña. Su discurso no fue así, y no lo pude haber imaginado. Antes de intentar reconstruirlo, aquí diré para ser justo que ver a la Milagrosa fue una verdadera conmoción. ¿Cómo nadie me había hablado de su belleza? Era lo último que yo esperaba encontrarme. No era una mujer criada en la colonia Santa Fe. Parecía una catalana enigmática y casi desnuda, porque el vestido blanco que la cubría dejaba traslucir sus hermosos pechitos de jovencita y entrever más allá algo así como un tibio y castaño vello púbico, que no tapaban ningunas pantaletas. Era perfecta. De piernas hermosísimas. De brazos torneados. Derechita, derechita, como una garza. Como una santa, pues. No podía separarle la mirada. Arriba de sus labios unos rubios bigotitos, pequeñísimos, suavecitos. La mirada un poco extraviada. Los ojos casi dorados, perversos. No tenía una gota de afeites en su linda cara, y ni falta le hacían, ¿para qué? Sus mejillas, sonrosadas, como duraznitos. Sus párpados, oscuros. Sus labios como cerezas. ¡Y ese olor que la rodeaba! Olía tan persistentemente a carne carnuda y caliente de mujer que ni su esmerada limpieza ni las flores a la Virgen conseguían ocultar el olor. No sé con qué cerebro escuché lo que el vejete le decía, porque el mío no-más retumbaba, conmocionado de haber mirado esa belleza sin comparación. ¿Por qué no me había prevenido nadie? Como todos la ven con propósitos utilitarios, una máquina de milagros, están ciegos para su mayor verdad.

El vejete dijo, mientras mi baba caía al piso a venerar el milagro vivo de la Milagrosa, algo así como:

—Milagrosa, sé que a usted le desagradan los agradecimientos. Yo vengo a externarle uno que espero no la enfade, al tiempo que le hago ardiente súplica. Vine a verla en la otra ocasión, si usted recuerda...

—Para que le diera juventud.

—Y la obtuve.

—Después vino su amada a pedirme edad.

—¿Sí?

—Y se la di. ¿Sigue con ella?

—No...

—Lo preví, que usted no la amaba...

—Y se equivoca. Huí porque supe desde el momento en que me acosté con ella que no la amaba. Con el cuerpo vigoroso, la cabeza despejada, comprendí que el apego por una chica con la que no tenía qué hablar era un apego senil e imbécil. Y fue un alivio. ¡Qué enredo, estar enamorado! ¿Por qué voy a querer problemas? Sólo silbo cuando me veo en la orilla de una decisión que no quiero tomar aunque la sepa ineludible, y esa noche silbé. Un día más la vi sin atreverme a decírselo. Cuando a la tercera entrevista la vi despojada de su juventud, calé más hondo. Si realmente la amara, me dije, ¿qué me importaría? Pues bien (y aquí viene la súplica, no se impaciente conmigo, Milagrosa), regresé arrepentido a los brazos de mi esposa. Soy dichoso, yo, pero ella no parece estar contenta conmigo. Claro que me ha recibido, soy su esposo, pero no he sido, no he conseguido ser, lo que ella quería que yo fuese, lo que ella esperaba de mí. Quiero suplicarle que le regrese a ella la fe en mi persona, que me haga fidedigno para ella, que me haga ser lo que ella esperó siempre de mí. Quiero pedirle eso, solamente. Sé que no la merezco, pero la quiero.

—¿Quién es ése?

Qué tono tan desagradable usó la santa para referirse a mí. Yo me vi contagiado del tartamudeo de su próximo suplicante:

—Yo... yo... yo...

—Sí, usted.

El vejete guardó silencio. La verdad, ¿quién era ése? No sabía gran cosa de mí. Yo hacía preguntas. Desperté de mi azoro:

—Vine a verla. Ya la vi. Nunca había yo visto algo más hermoso. Es usted un ángel en la faz de la tierra.

Salí. Sin vejete. Sin haber podido decir lo que debía. En ese instante supe que no iba a poder con el trabajo, y me detuve. Giré la cabeza.

Ella me estaba mirando, de pie en la puerta, un poco adentro, antes del quicio. Con la mano me hizo un gesto de que me acercara. Fui. Con ella, ¡hasta el fin del mundo! Me dijo:

—Tiene problemas con la bebida. Quiere dejar de beber.

No me preguntó, afirmó.

—¡Es lo único en la vida que no anhelo! —su despropósito había sido tan grande que regresé a mis pies, por un momento, porque sonrió a mi respuesta y volvió a desarmarme. ¡Qué dientecitos! Filositos y pequeños, y blancos, y perversos como su mirada.

—Vaya con Dios. Ya volverá usted a verme. Será un placer recibirlo. Está mal que yo lo diga, pero usted, bueno... —Me miró a los ojos. Se sonrojó. Ahora quien se movió fue ella. El vejete salió y yo seguía clavado al piso. Y ahí estaría aún, si no fuera porque el vejete me tomó del brazo, me subió a su automóvil, y me llevó a comer a Playa Bruja.

En ese momento no me expliqué por qué no quería soltarme. Lo imaginé solo, sin novia, con la esposa furiosa, sin con quien comer. Llegamos al restaurante a las cuatro de la tarde. El vejete me llevó a la casa, muy amable, y aparentemente muy interesado en mi persona. En realidad no hablé de nada con él, yo sólo pensaba en ella. A pesar del tequila, el vino, y el coñac de sobremesa, a las siete y media yo estaba otra vez de pie frente al hogar del ángel. Miraba, miraba. Nada veía porque no había qué ver, pero miraba, y creía que las ventanas estaban iluminadas porque ese castillo la contenía, no porque hubiera fluido eléctrico. Lo que salía de los vanos era su resplandor. Y yo lo miraba.

Ahí seguiría, estaba clavado otra vez. Un fornido me jaló, me hizo a un lado:

—¿Tú eres el puto que rompe huelgas?

No pude contestar ni siquiera el sí que hubiera dicho en honor a la verdad. Con el puño cerrado me trituró la mandíbula. No estaba solo. Dos o tres con él me molieron el cuerpo a golpes, tantos que dejé de sentir. Oí un revuelo en la hilera de vísperas, pero ni pensar que los tullidos, cojos y enfermos pudieran prestarme una mano contra los gañanes. Ellos seguían golpeando y yo seguía sin sentir. Yo creo que no me quedaba un hueso sano. Como para distraerme, sentí empapados los calzones. Allá a lo lejos, oí la voz de mi ángel.

—¡Imbéciles! Lo van a matar.

Su voz estaba calma. Nada parecería capaz de atribularla.

—Es que... —trataban de explicar los gorilas—, es que...

Los imbéciles se habían quedado mudos.

—Me hacen el favor de acomodarlo con cuidado en la capilla. Dije: con cuidado. Ven tú por dos cobijas, una para acostarlo, otra para cubrirlo. Y ay de ustedes si no lo tratan bien.

—Milagrosa... Es el que nos traicionó cuando la huelga. Pasaba información. Nos tronó a todos.

—Historia, chicos, historia de hace mucho. Ha de ser un pobre diablo. ¡Acomódenlo en la capilla, como les dije! Busquen en sus bolsillos, necesito alguna identificación, para regresarle la cara. ¡Cómo lo han dejado! Otro poco, y lo matan.

Buscaron en mis bolsas. Encontraron mi cartera casi vacía, mi credencial de "asesor de proyectos especiales" del Sindicato.

—Es éste, el muy puto...

—Ya, cálmate. A ver... Ah, ¡es él! Vino por la mañana... No sé qué tiene esta cara, qué me recuerda, o qué... —suspiró—. Está bien. Regrésala a su bolsa, sin lastimarlo, tal como está.

Fue la peor noche de que tenga memoria, y sé que nunca tendré una igual. En casa del herrero, azadón de palo. Ni un analgésico me dieron en la cabaña de la Milagrosa. Si me fiaba al dolor, porque ahora sí sentía y de lo bueno, tenía rota la mandíbula, la cadera, y no muy en su lugar los demás huesos. No podía abrir los ojos, de tantos golpes. Ni mover ninguna parte del cuerpo, sin sentir que se me deshacía en astillas. Casi caí inconsciente, pero sentí (lo juro, lo sentí) que mis huesos regresaban a sus sitios, de buen ánimo, y que juguetones se unían los unos a los otros, y que se cerraban las heridas, cauterizaban los vasos rotos de la nariz, desaparecían los moretes.

Amanecí como nuevo. Como si no me hubieran golpeado. Sin una hinchazón, sin un rasguño. La Milagrosa había usado su don en mí.

¿Quién lo creyera? Por lo que toca a mí, nunca. La Milagrosa sí cura. ¿Y cómo no, si es un ángel caído del cielo? Mi curación me la hacía sin embargo más inabordable. A estas alturas, ya sabía yo que ella no recibía con gusto a nadie tocado por su don, que no aceptaba agradecimientos sino otras peticiones. Yo lo único que podía pedirle, porque eran las únicas dos palabras que tenía en toda la cabeza, era a LA MILAGROSA, concédeme a LA MILAGROSA. Era la mujer más hermosa de la tierra. Un ángel, ya lo dije. Como siempre, me ahorca mi predilección por los seres monstruosos. Putas, alcohólicas, mujeres sin una idea en la cabeza, hechas sólo para el sexo, o mujeres atormentadas por su excesiva inteligencia, o anormalmente hermosas... La que fuera monstruosa tenía que ser mía. Si algo le falla o le sobra a una mujer, cae conmigo, o más precisamente al contrario: caigo yo ante ella. Por lo mismo no soy precisamente un enamoradizo. No abundan los monstruos. ¿Hacía cuánto que no me enamoraba? ¿Tres siglos? Por lo menos me había bebido una bodega de ron y tres toneles de whisky entre mi último amor y este flechazo. Primero el whisky, luego el ron, en orden estrictamente económico. En el caso de mi apego a esta mujer, no es exagerado decir que lo nuestro (bueno, lo mío) no era un asunto superficial, de la piel hacia afuera: la tenía ya en la conformación presente de mi cuerpo, hasta las médulas de los huesos, me los había tocado, había soñado conmigo, recomponiéndome escrupulosamente todas mis heridas. Yo era el hijo de su don.

No me consoló pensar que, así como me sentía tocado por ella, me había sentido de las demás, de aquellas que en otras eras amé. Tampoco me consoló pensar que esa enfermedad se pasa con los días, o con los meses, se cumpla o no el objeto del capricho.

Lo primero era lo primero. ¿Que hacía yo husmeándole los talones, buscando que cayera en alguna cloaca inmunda, espiándola para encontrar cómo fundirla? ¿Por qué me había enviado el Sindicato a perseguirla? Lo primero era encontrar al que me había molido los huesos.

No me costó trabajo. Salí de la cabaña (capilla para la Milagrosa), y entré de nuevo, a anotar mi nombre, dirección, teléfono, oficio y milagro, y cuando ponía afuera un pie topé con la cara del crápula que me había golpeado.

Olvidé que deseaba verlo, porque era evidente que él no hablaría conmigo. Como un relámpago entró en mi cuerpo el demonio de la resignación. Me golpearía, ella volvería a soñarme, yo amanecería siendo más de ella. Pero no. Escupió en el piso como si verme le diera asco. Y siguió de largo, hacia la cabaña. Alcé la vista. Allí estaba la casa de ella. Al volver a estar en el mismo lugar desde el que había contemplado a mi ángel asomado a la puerta, casi desnuda (era muy poca ropa la delgada y blanca) sentí una emoción que no había sentido nunca antes, y que combinaba la certeza de mi enamoramiento con la posibilidad de volver a mirar la aparición. Era tan intensa la emoción, que creí que mojaría los calzones, como si fuera niño. No que tuviera erección, pero en mi cuerpo había no sé qué de inerte (no sé si por el milagro, por los golpes, por qué) que haría la venida posible sin agitación sexual.

La sensación me dio miedo. Me alejé de la puerta. Corrí, casi, o algo que se le parecía, hacia la calle. Me recogió un taxista amigo de la Milagrosa, uno que parecía estarme esperando a mí en la entrada. No sólo lo parecía. Al llegar a casa, se negó a cobrarme:

—La Milagrosa me lo encargó, me pidió que lo dejara en la puerta misma de su casa. No quería que se quedara usted por Santa Fe, rondando por ahí después de lo de anoche. Y además, con su ropa como está, ¿quién hubiera querido traerlo?

Le di las gracias. Bajé, mareado, casi ebrio. Subí los dos pisos y me fui reanimando, pero al tratar de meter la llave en la cerradura, sentí de nuevo mi extrema debilidad, porque no atinaba a calzarla. La verdad que me sorprendió. Aún de lo más borracho, la hago entrar sin problema, ¿qué me pasaba? Todo me sentía extraño, como si al ponerme los huesos en su lugar, la Milagrosa los hubiera acomodado en otro sitio.

Dudé si poner a hervir agua para hacerme un café, o darme primero un buen duchazo. Entré al baño. Me vi de reojo en el espejo. Lo que alcancé a ver me hizo observarme con más detenimiento. El cuello de mi camisa estaba totalmente manchado de sangre. Olvidé el café, olvidé la ducha, puse a llenar la tina con agua tibia para darme un verdadero baño. Me quité prenda por prenda, revisándola con asombro: esos chicos casi me habían matado a golpes. No sólo había sangre en el cuello de la camisa, la espalda también se había ensopado y en los calzones parecía que había cagado sangre. Seguramente me habían reventado las tripas. La chamarra estaba para la basura, literal. La habían destrozado. La tiré donde lo merecía, junto con los calcetines agujerados en los talones y en los dedos, ya dispuesto a botar lo que no servía. Volví a ver la ropa manchada de sangre, desnudo y con el cuerpo batido en la misma, pero enteramente sano, sin sombra de rasguño. Qué desastre. Ni modo de darla a lavar en ese estado. Me sentí agotado y de algún modo me di por vencido, claudiqué del placer del baño y eché la ropa a la tina. El agua tibia se fue poniendo roja. Yo seguía desnudo y empezaba a sentir frío, y la conciencia de mi batidillo me hacía sentirme incómodo, como si me picara la piel. Así que me metí en la tina ensangrentada. Me acomodé, cerré las llaves, la tina ya estaba llena, y para ignorar el desastre que la ropa había provocado, con la cabeza casi enteramente sumergida en el agua, cerré los ojos. En el espejo había visto rastros de sangre abundante y seca en mi cabello. Ahora se estaría humedeciendo (pensé) y resbalando por mi cara, qué lindo aspecto. En ese instante, alguien entró a mi viejo departamento violentamente. No sé por qué, me quedé tal como estaba, petrificado. Tal vez me sentía demasiado cansado para todo. Si vienen por mí, pensé, que así sea. No sé qué tenía, no sé qué me pasaba, no sé si cualquiera se ponga así por meterse a una tina ensangrentada. Aún tenía los ojos cerrados cuando escuché:

—Mira. Alguien vino antes que nosotros. Nos ahorraron el trabajo. Vámonos.

—¿Está muerto?

—Cómo no va a estar muerto. Lo desangraron. Vámonos.

Y se fueron. Ni vi quiénes eran. Muy educados, por cierto, porque tras ellos cerraron la puerta de la casa. Levanté el tapón de la tina y dejé salir bastante agua. La volví a llenar. Repetí la operación, como si fuera un juego, varias veces, hasta que el agua, la ropa y yo no tuvimos casi sangre. Escrupulosamente me enjaboné y enjaboné y tallé la ropa. Fue mucho el tiempo que estuve en la tina. No tenía miedo. Tenía sueño, y al salir la piel de las yemas de los dedos arrugada, como cuando niño. Me sequé muy bien, exprimí la ropa, me puse la pijama (no podía más de cansancio), mis parches negros para dormir, y me tapé hasta las orejas.

Sonó el teléfono. Lo dejé sonar. Siguió sonando. Venció, lo contesté.

—¿Bueno?

—Aurelio, ¿qué hay?

—Nada, qué va a haber. (¿Quién era? No lograba identificar la voz).

—Nos urge lo de la bruja ésa. ¿Ya lo tenemos?

—¿Urge?

—Sí, hombre, urge.

—¿Por qué urge?

Se hizo un silencio del otro lado, un vacío. Era lo que yo no quería. Estaba tratando de hacerlo hablar, para saber de quién era la voz que yo no identificaba.

—¿A ti qué te importa por qué nos urge?

Su voz no era la de Juan, contacto usual del Sindicato.

71

Es más, yo soy muy bueno con las voces, y la de este hombre no era la de ninguno de los de la oficina.

—¿Quién habla?

Otro vacío del otro lado.

—¿Lo tienes, o no?

—El que debe preocuparse de si tiene o no algo eres tú, que no tienes mamá...

Colgó. No me dejó terminar mi frase. No tienes mamá, ni huevos.

Me quité los parches para dormir. Marqué a la oficina del Sindicato. Contestó el mugroso de Juan. ¿Por qué no Lupe u otra secretaria? Parecía estar esperando una llamada. Fingí la voz:

—¿Juan? Soy Aurelio.

—¿Quién?

—Aurelio Jiménez.

—¿Quién habla?

—Aurelio —esta vez lo dije ya con mi voz, sin fingir—. Aurelio Jiménez te habla.

—No... ¿Quién es?

Colgué. Creo que vinieron a matarme ellos. Quité la campana del teléfono. Me volví a poner los parches negros sobre los ojos. Me tapé otra vez bien. Dormí un par de horas. O tres.

Lo que necesitaba para sentirme bien, me dije cuando estuve listo para salir, era un par de whiskys. Me fui al bar de Sanborns de San Ángel, para darme una vuelta por la oficina del Sindicato a mi regreso. Pedí el primero, y fui incapaz de darle un trago. Su olor, su olor solamente, me daba repulsión. Tardé unos minutos en darme cuenta que la oficiosa de la bruja me había quitado mi "problema" con el alcohol.

Bruja. Pagué la cuenta. Bruja. Bajé las escaleras. Bruja. Me eché a andar. Bruja. Bruja. No iba pensando en otra cosa. Estaba furioso. ¿Qué se creía ésa? Iba andando rápido, casi sin despegar la mirada del piso, hacia el norte, no sabía hacia dónde, como si fuera hacia mi casa. Pero cuál casa, ni qué ocho cuartos, bruja. Estaba a unos metros del Sindicato. Quiero decir, ya había dejado atrás el edificio. Quedaba del otro lado de Insurgentes, en la otra acera. Volteé a verlo. Había un gran revuelo a su entrada. Pasaba algo. Gente. Una ambulancia. Crucé la avenida y me acerqué. Pregunté a uno de los curiosos:

—¿Qué pasa?

—Pues que hubo un tiroteo. Ya sacaron a dos heridos, pero a ése —señaló una camilla con un cuerpo cubierto todo con una sábana— no quieren llevárselo, porque está muerto.

Crucé el grupo de curiosos. Me acerqué al muerto. Le alcé la sábana. Los pies. Le alcé el otro extremo de la sábana. Era Juan. Juan Palomares. Mi contacto. El que hacía unas horas me había contestado el teléfono. El que me creía ya muerto. Lo que son las cosas. Él era el que estaba en la camilla, abandonado mientras los camilleros de la ambulancia discutían con los policías.

Valiéndome de mi credencial del Sindicato, entré al edificio. Qué revuelo. Traté de averiguar qué había pasado. Según me dijeron, que un problema entre ellos. Que por algo discutían los de esta oficina y que se cruzaron a balazos. ¿Quién les va a creer esa explicación? Por ahí estaba Lupe, la secre. Me miró con chicos ojotes.

—Entonces qué, rorra, ¿vienes a cenar conmigo?

—No, se te pasan las copas, y a mí no me gusta cuidar borrachos.

—Te prometo que no tomo ni una.

—No te creo.

—Te lo juro. Con una condición.

—Si es verdad, la que sea.

—Tú pagas la cuenta.

—Y si bebes pagas tú —sonrió. Ni así se le empequeñecieron los ojazos—. Claro que pago. Y por cierto, está tu pago. Hoy firmaron el cheque. Juan me dijo que te lo pagaríamos en efectivo, así que me envió a cobrarlo. Deja te lo traigo, está en su escritorio. ¿Y por qué te dieron tanto esta vez, eh? Qué favor les habrás hecho...

¡Bendito sea Dios! Cobro, sin haber hecho el trabajo y cuando en teoría yo ya estoy muerto. Diez veces más que lo acordado. En efectivo, no como acostumbran estos infelices, con cheque posfechado. Claro, cuando el dinero es para ellos, la administración es de lo más efectiva.

octavo día:

Temprano en la mañana voy a ver a la Milagrosa. La noche fue interminable y aburrida y sin fin. Sin una copa. Bueno, hasta me tuve que acostar con Lupe porque ya no hallaba qué hacer para no morir de aburrimiento.

Soñé extrañísimo. Entraba a un camerino. Era largo, y tenía en toda la pared un largo espejo y enfrente de él unas chicas chulísimas, con pocas ropas, maquillándose de pie. Hablaban, se reían, no parecían darse cuenta de que yo estaba ahí. Una de ellas cayó en la cuenta:

—Ahí está, mírenlo.

Y sí, todas me vieron. Algunas traían los pechos al aire. Al mismo tiempo todas, serían doce o quince, voltearon hacia el espejo, tomaron sus bilés y cada una escribió una letra enorme en el espejo. Dije que eran doce o quince, así parecía, pero cuando terminaron en un santiamén de trazar las enormes letras decía:

LA - MILAGROSA

74

así que eran doce.

Yo salía del camerino. Atrás, una nube de reporteros rodeaba a alguien. Era la Milagrosa. Extendían hacia ella sus pequeñas grabadoras, hincados o inclinados, formando un cuadro de adoración que semejaba un coro de almas puras rodeando a la Virgen. Ella me vio, estiró el brazo para señalarme y dijo:

—Es él.

Me desperté, dichoso. Quién sabe por qué dichoso.

Un dato importante: Lupe me explicó que ella no estuvo en la oficina cuando la balacera. Que con uno u otro pretexto la echaron la mayor parte del día afuera.

—Algo estarían fraguando.

—¿Y tienes idea de qué?

—Están muy nerviosos con el asunto de Textiles del Norte. Sabes, son diez fábricas, y por algo el Sindicato no consigue lo que quiere, y los trabajadores mandan. Decían que por la Milagrosa. Pero el problema es que ya sólo falta un año para las elecciones presidenciales y ya sabes cómo se pone el clima.

—No sé.

—Pues no seas pendejo, averigua. Yo ya hice mucho por ti. Te pagué tu cheque. Te invité a cenar.

—No cantes victoria, todavía no pagas.

—Y además ya te lo dije todo. Que no entiendas, es tu problema.

Lupe es una de estas personas que lo tiene todo. Con esos ojos. No me explico por qué trabajaba con esos rufianes. Si no fuera porque no le encontré nunca un rasgo monstruoso, hubiera sido una mujer de la que yo me hubiera enamorado.

La dejé durmiendo en mi cama, francamente sintiéndome como nuevo, en algo ayudaba la cartera llena, y corrí a casa de la Milagrosa. No había suplicantes, ni uno. Un letrero decía "Hoy no recibe la Milagrosa". Su gente guardaba silencio. Se veían bastante atribulados. Fui a casa de la seño que le cose la ropa. No me abrió la puerta. Decidí esperar. Traía el periódico conmigo y no lo había ni abierto, confiando en que me tomaría mi café matutino en la hilera de los suplicantes, leyéndolo antes de empezar el crucigrama. En la primera plana, abajo un poco a la izquierda, aparecía la fotografía del vejete. El que dejó a la rorra por un antiguo amor, al forrazo que estuvo dispuesta a sacrificar su juventud con tal de que él la amara. El que me había invitado a comer. Ahí estaba. Se postulaba como candidato independiente, sin partido, a la Presidencia. Felipe Morales. Así que ése era Felipe Morales. Todos conocimos su cara hace treinta años. Y sus aberrantes opiniones. Ahora resucitaba, en primera plana, y directo a la Presidencia. Si corría, alcanzaría el registro. Y Felipe Morales bien que sabía correr. Si no, le quedaba el recurso de hacerse candidato de cualquiera de esos pequeños partidos que el único en el poder mantiene por no muy loables razones, buenas no pueden ser si él siempre es el único que gana todas las elecciones. Dizque gana, pero gana. Y esos partiditos estaban ahí puestos para quien quisiera apoderarse de ellos si se aliaba a los que ya traían el poder puesto. Porque Felipe Morales sabía más que bien moverse entre la gente del poder. Dudo que en su peor pesadilla el país hubiera podido soñar un personaje más hijo de puta y con mayor arrastre. Felipe Morales era la peor pesadilla.

Esta pesadilla caía como anillo al dedo al único, digo al respetable único partido en el poder. Porque por ahí andaba Cárdenas, el hijo del otro Cárdenas, el presidente que nacionalizó el petróleo (eran otras épocas), el que tanto alboroto había armado en las anteriores elecciones presidenciales y que parecía decidido a dar batalla otra vez... ante el pánico del partido único en el poder, y el gusto del descontento, decidido a lo que fuera, con tal de no seguir igual...

Así que ahí estaba de ganón el vejete Morales. Seguro lo apoyaría el PRI, sin decirlo, que ni qué, como si él fuera otra fuerza; aunque fuera una tabla ardiendo, para no caerse la agarraría, enseñando de paso su gesto más duro. Negras épocas para el país. A mí esas cosas nunca me han importado, que gobierne el que quiera, todos son igual, las curules y las sillas presidenciales vuelven idénticos a quienes se sientan en ellas. Pura basura. Pero algo mucho peor era Morales...

Regresé a la casa de la Milagrosa. Los dos de la puerta explicaban a una señora que cargaba un bebé enfermo que no la recibiría. Simplemente les di la media vuelta. No me vieron. Abrí la puerta de la Milagrosa. No había nadie frente al altar. No había flores. La Virgen no estaba iluminada. Subí las escaleras. Ella me oyó venir, y me esperó hasta arriba de las escaleras. Estaba vestida de rojo, con los largos cabellos sueltos y revueltos y se veía en su rostro que había llorado mucho. Volví a saber lo que ya sabía: que no había en la tierra ni en el cielo un ángel comparable.

—¿Tú? —me dijo, sin despegar de mí los extraños ojos dorados.

Súbitamente, corrió a encerrarse en su cuarto. Terminé de subir las escaleras, pero no me sentía andar sino volar, como trepado en una nube sólo por haberla visto. Frente a su puerta supe que estaba yo dispuesto a perpetuarme ahí, como una estatua imbécil, sin poder mirar lo que yo quería ver, el querido objeto que aprendí a adorar en vestido blanco. Con que estuviera atrás de la puerta era suficiente. Estaba tan emocionado, mi corazón sonaba tan fuerte que no me hubiera hecho falta tocar la puerta, seguro lo oiría tamborilear del otro lado la Milagrosa. Además, la puerta cerrada no me decía nada, ella me había mirado con ojos que la abrían mil veces.

Así que cuando la puerta de su cuarto se abrió, bruscamente, no me asusté. Rápida, como una sombra, se acercó a mí sin darme tiempo a verla:

—¡Y qué bueno que eres tú! —me dijo—, tal vez eres la única persona que yo hubiera querido ver. Estoy tan furiosa. El imbécil de Morales... Sé que tú tampoco lo sabías... Se aprovechó de mí. ¿Sabes?, si no hubiera entrado contigo, tal vez me hubiera dado cuenta. Y no. Es estúpido pensarlo, de todos modos me hubiera tomado el pelo, siquiera estás aquí... ¡Es un imbécil, ese viejo!

Yo, sin poder decir ni sí, ni no, ni agua va ni nada viene. Más sorprendido que... bueno. Me tomó de la mano. Me llevó con ella a su cuarto. Cerró la puerta. Se acercó a mí. Más. Puso su boca junto a la mía. La besé creyendo que moriría de la emoción. Se separó de mí. Se quitó el vestido. No traía ninguna otra prenda de ropa. Si esto fuera posible, era mucho más hermosa aún desnuda. Se acostó en la cama. Yo me puse a su lado. Quién sabe cómo, a pesar del azoro, la acaricié. Respondía como una mujer a todas mis caricias, pero al mismo tiempo la percibía en la orilla de la furia, hasta que la serené. A la furia. O porque yo fui paciente, y aprendí a distinguir en ella el enojo del gusto, o porque ella fue paciente y aprendió a distinguirlo en sí. No lo sé. Pero sé que más de una vez adentro de ella a voz en cuello me maldecía. Aunque no dijera nada, total, yo lo oía.

No me permitió dejar su cuarto. Hablamos y hablamos. Comimos ahí encerrados. Ella estaba feliz, y a mí no necesito describirme. Era una diosa. Me dijo que su vida de Milagrosa se había acabado. Que después de lo de Felipe

Morales no quería saber más de esto. Yo le dije que se le pasaría el coraje, y que volvería a lo mismo.

—¿Tú crees?

—Estoy seguro.

Se levantó de la cama y sacó unos papeles del único cajón del escritorio.

—Ten. Te los regalo. Para que entiendas. Para que no los vea nadie más. Para agradecerte que hayas venido. Pero los cuidas. No los vayas a perder.

—Yo no pierdo nada. Mira, cuanto tengo de valor lo cargo conmigo —me levanté y le mostré la cartera llena de dinero—. Si ando por la vida con toda esta plata sin riesgo, soy tu depositario fiel. Dámelos tranquila, no los pierdo.

Vio dos veces los billetes sin que le impresionaran lo más mínimo. Yo, la verdad, los vi más veces. A mí sí que me impresionaban. Creo que nunca había traído conmigo tanta plata.

Después nos pusimos a hablar. No sé qué dijimos. Yo la abrazaba, y ella se dejaba abrazar. Hicimos otra vez el amor. Se metió al baño, dijo que se iba a bañar. Ya era de noche. Me vestí, guardé mi cartera, tomé los papeles, doblándolos los puse en la misma bolsa del pantalón y salí hacia mi casa. Ahora no había taxi esperándome a la salida. Las calles estaban vacías. Bajé caminando hasta el periférico y ya ahí tomé un taxi.

Dos anuncios enormes pintados durante el día: la foto de Felipe Morales. Y una leyenda: "Nosotros con él". No sé por qué, al verlos pensé que debía tomar un whisky. Recordé que no le había pedido a la Milagrosa que me quitara el maldito asco al whisky. Di la indicación al taxista de que regresáramos:

—¿Usted sabe llegar?

—Sí.

—¿Bien?

—Sí...

—Porque es Santa Fe, y si nos equivocamos de calle tal vez no vivamos para contarlo.

—No se preocupe. Por donde vamos está todo pavimentado y hay alumbrado público. Yo bajo de vuelta con usted, y me lleva a Arizona, donde íbamos, a la Nápoles. Además, ni es muy arriba. Yo lo guío, ande.

—Está bien. Nomás le cuento de un compañero incauto que subió a Santa Fe. Y fíjese, no vivió para contarlo. Apedrearon su coche, a él lo bajaron y lo molieron a golpes.

—No se preocupe. Vamos donde la Milagrosa.

—¡Ah! ¡Ésa! ¿Que es bruja?

—Pues más o menos.

—¿Usted ha ido con ella?

—De ahí vengo. Es mi amiga.

—¡Ah! ¿Y sí cura?

No le contesté. Ya estábamos en Santa Fe. Más me valía no equivocarme de camino. En cinco minutos llegamos a casa de la Milagrosa.

—Espéreme un momento.

—No, lo acompaño. Mire, traigo gas paralizante, y —abrió la guantera— mi pistola. Por si acaso. Más vale.

Bajé con él. Había dado tres pasos y ya tenía encima al que el otro día me molió a golpes. Por fortuna estaba sin amigos, y sólo alcanzó a darme uno, que aún me duele. El buen taxista lo roció con el gas, y ahí se quedó, doblado.

—¿No le digo? Mejor vámonos...

—Espere.

Me salía sangre por la nariz. Corrimos hacia la puerta de la Milagrosa. Entré. Bajó ella corriendo las escaleras, con su vestido rojo maravilloso. No, no se había bañado.

—Vámonos —dijo.

Corrimos los tres al taxi.

No dijimos una palabra mientras bajábamos por Santa Fe. Los tres teníamos miedo. Suerte que traía pañuelos desechables en el carro (¡qué maravilla de taxista!) porque no me paraba de sangrar la nariz.

Volvimos a pasar bajo los letreros enormes de Felipe Morales.

—¿Se acuerdan? —dijo el taxista—, éste era el que se opuso a las campañas del SIDA. Que porque era inmoral. Que porque sólo la abstinencia y la fidelidad conyugal. Ay, sí, no, ¿a poco? También dijo que a los maricones los debieran encerrar que porque eso de la homosexualidad es una enfermedad contagiosísima. ¡Si será él mismo puto! Y hace veinticinco años todos hacían caso a Felipe Morales, cuando su campaña contra la píldora, y un poco antes contra el comunismo. Pero ahora...

—Todos van a votar por él —dijo la Milagrosa.

—¿Usted cree? Si es así, pues ora sí que nos fuimos a la porra. Digo, a los que nos gusta la vida —volteó a vernos. Estábamos en un alto. Un niño de la calle le limpiaba el parabrisas.

—No se preocupe —dije— lo más que hará es convertir a la patria en un convento.

—Y ¿ya oyó lo que andaba diciendo hoy, por la radio?

—No —el niño terminó y se asomó por la ventana, el taxista sacó un par de monedas del cenicero y se las acercó a la mano limpia de tanto limpiar los parabrisas, antes de arrancar con el siga.

—Que cuando él gobierne no van a haber líos con los obreros. Lo dijo por lo de la Textil. Mire, yo no sé qué opinen ustedes, pero ésos sí que tienen la razón. No piden nada injusto. Y trabajan, se las arreglan para no caer en huelga y consiguen lo que quieren. Claro, no sé qué

81

opinen ustedes... Ora andan diciendo que fueron los obreros los que se echaron al del Sindicato. ¿Usted cree? Ya andan tras el líder...

Habíamos llegado a mi colonia. Una cuadra más y estábamos en casa. No había paso. Una patrulla impedía el tránsito, estacionada en la bocacalle. Adentro había una ambulancia.

El taxista preguntó a uno de los vecinos:

—¿Qué pasó?

—Una mujer golpeada adentro de uno de los deptos del segundo piso. No dejan pasar porque creen que está por ahí escondido el del ocho, el que la golpeó.

—Gracias, mano —y a nosotros—, se bajan aquí, o ¿qué hacemos?

—Vámonos —le dije—, yo soy el del ocho. Y yo no golpeé ninguna mujer, le consta a la Milagrosa.

Salimos de ahí.

—También a mí me amenazaron —habló la Milagrosa—, mi propia gente me amenazó. Lo debes haber visto, venía saliendo de casa cuando llegaron. El que te golpeó la otra vez, que casi te mata...

—Y hoy quién crees que me puso así la cara.

—¿Fue él?

—Quién más.

—Cualquiera. Ya no entiendo nada. Él venía de parte de Felipe Morales. ¡Él! ¡Después que hemos trabajado tanto juntos en lo del Sindicato!

—¿A dónde vamos? —preguntó el taxista, con un tono que daba a entender que ahora éramos tres. No dos sino tres.

Tuve la idea absurda de ir a casa de Norma Juárez, la rorra abandonada por el vejete. Nos esperaba la misma escena, patrulla, ambulancia, vecinos observando. Sólo que ahora no preguntamos, una vecina se asomó a la ventana del taxista para informárselo, como si ya no encontrara a mano a nadie más a quién repetírselo:

—Usté cree, que le dieron una paliza a la señorita Norma. ¿Usté cree? De veras... Pero seguro que lo encuentra la policía. Tienen ya el nombre y las señas del sospechoso.

Nos fuimos. No dudé que fuera yo también el acusado. ¡Qué extraño me había vuelto en los últimos días! Me salvé del asesinato porque ya estaba muerto, me zamparon una paliza y un milagro, dos veces golpeé mujeres hasta llevarlas al hospital o a la muerte, y era correspondido en el amor por una diosa.

—Vivo aquí cerca, vamos —fue todo lo que el taxista dijo. Y el taxista nos llevó a su casa. Vivía en unos horrendos departamentos en mero Mixcoac.

El taxista, la Milagrosa (llámame Elena, por favor, no me digas Milagrosa, ésa ya no existe, desapareció) y yo parecíamos ser los únicos tres en contra de Felipe Morales. Al entrar a casa del taxista, su mujer miraba la televisión. Él quiso decirle "traigo unos amigos", y ella nomás replicó "isshta!", agitando la mano para que se callara. Felipe Morales estaba en la pantalla. Hablaba del problema del Sindicato con los trabajadores rebeldes. Recomendó mano dura. Hablaba con tal compostura y seguridad que cualquiera tendría fe en él. Vejete de mierda, pensé.

—Éste sí le va a hacer bien al país —dijo la mujer.

Entraron unos anuncios. Volteó a vernos. Me sorprendió su juventud. Era mucho más joven que el taxista.

El anuncio se terminó y la muchacha terminó de revisarnos, sin decir palabra. Casi no había visto nuestras caras, de lo que había pasado revista era de la ropa que teníamos puesta, con tal minucia que yo sentía colgada la etiqueta de cada prenda, con lugar de venta y precio impresos.

Morales regresó a la pantalla. Seguía con lo del Sindicato. Ahora contestaría a una pregunta que nos cayó como balde de agua helada:

—¿Qué opina de la liga entre los rebeldes al Sindicato y la Milagrosa?

—Que retrata a ambos, a la Milagrosa y a los rebeldes. Porque, mire, lo de la Milagrosa, todos lo sabemos, son supercherías, y si esas personas dicen apoyarse en tales cosas y no en la razón y en la inteligencia, no creo que sean nadie en que se pueda confiar. ¿No le parece?

—Reina, ahora venimos.

La reina del taxista ni se movió para despedirse. Estaba en la ceremonia de adoración a Felipe Morales. Salimos de la casa.

¿Ahora dónde iríamos?

—Yo tengo que entregar el coche. Acompáñenme y le pedimos al relevo que nos deje por ahí. O no sé...

—Los invito a cenar. Tú qué dices, Milagrosa...

—¡Que me digas Elena! —no parecía estar de muy buen humor, mi ángel se veía un poco atribulado.

El reemplazo del carro no había llegado. Dejamos encargadas las llaves y salimos a la calle.

—¿A dónde vamos?

—Sugiero que caminemos —dije yo. Quería ver si así despejaba mi mente. Lo mismo que haría un whisky, pero ni soñar con el whisky.

—Milagrosa.

—¡Otra vez! Dime Elena.

—No para esto: Milagrosa, quiero volver a beber. No debiste quitarme eso.

—Ya no puedo hacer nada por ti. Ni por nadie. Nunca debí hacer nada por nadie. ¿Ves lo que ha ocurrido? Jamás me imaginé que regresarle la credibilidad con su esposa era entregarnos al monstruo. Sabes, si no llega al poder legalmente, de todos modos lo va a conseguir. No le dolería un golpe militar. No, no le dolería. Es un cerdo.

Silencio.

—Nos va a matar —dijo el taxista.

—A ti, ¿por qué? A nosotros dos no te quepa duda —apenas terminé la frase me di cuenta que habíamos llegado a Insurgentes. La avenida bien iluminada me hizo sentir con mayor intensidad nuestra desprotección. Estábamos expuestos. Nos encontrarían.

—A mí también me va a matar. Ellos no dudan en matar a nadie. Se echan al que se les interponga. A los que digan no. A los que digan algo que les disguste. Matan a sus esposas, si les estorban, las acribillan cuando viajan en la carretera. Después desaparecen el automóvil, les inventan un cáncer, publican las esquelas, reciben condolencias: los felicitan por haberse deshecho de alguien estorboso. En la medida en que sean estorbosos... Cuando tienen el poder, no esperan los sueños para que se cumpla lo que necesitan.

—Falta ver si es cierto que ésta ya no tiene poder para conceder milagros con sus sueños —dije mirándola. Era verdad. Era un ángel. Sentí que debía guardarla, protegerla, que nadie debía robármela. Y mucho menos lastimarla. Pero al mismo tiempo tuve la certeza de que ella tenía dominios que se extendían más allá del territorio de lo posible, supe que ella era aún la Milagrosa—. Tenemos que acostarla a dormir, y antes conseguirle ropa blanca. Tienes que soñar que esta pesadilla se acaba. Y regresarme mi afición al whisky.

—Es inútil, verás. Ya lo perdí. Lo de la ropa blanca no importa. ¿Tienes contigo todavía los papeles?

—Aquí. En el bolso del dinero. En el otro cargo mis notas.

—¿Qué notas?

—Yo te estaba siguiendo los talones. Me habían pagado para hundirte.

—¿A mí?

—Sí. Los del Sindicato. Luego ellos trataron de matarme. Y el que me contrató ya está muerto. Alguien lo mató, no sé por qué.

—Anoche soñé, después de regresarle la credibilidad al señor ya mayor...

—Al vejete Morales.

—Sí, al vejete que yo no sabía que era Morales, soñé que se estaban matando todos entre ellos, y yo no podía despertarme o dejar de soñarlo. Mata a tu prójimo y que te maten a ti mismo, decía una voz.

—¿Y tú aparecías en tu sueño?

—No. Yo no estaba ahí. Yo veía.

—¿Alguno de nosotros dos sí estaba ahí?

—Eso no puedo decirlo. Había algunos de espaldas, otros estaban lejos. Pero todos iban a morir.

—¿Alguno sobrevivirá?

—Al final no quedaba nadie. Ninguno. Y yo no podía despertarme. Fue espantoso.

—Si todos mueren, todavía hay esperanza.

—Yo qué sé. Tal vez ellos estaban viendo, como yo, y no morían sino veían morir. Ver es morir también un poco. Además, yo, yo he matado algo mío, mi berrinche por el asunto Morales fue muy lejos, este día...

La misma furia de la mañana. La interrumpí:

—¿Yo soy tu berrinche, quieres decir?

—¡No!... El vestido rojo, no recogerme el cabello, tratar de bañarme en la nochecita, todos eran gestos para destruir a la Milagrosa... y bueno, tú, si tú desde que te acercaste a mí venías a destruirme, ¿por qué me sentí atraída por ti? Mi debilidad por ti tuvo el tino de escoger a...

La maté con la mirada. Dos veces. Y se calló. La maté

86

con la mirada diciéndole ¿no te has dado cuenta de que te quiero?, ¿de que aunque yo sea una porquería te quiero, te quiero? Me tomó de la mano.

—Es cierto. Haces bien de verme así. Yo también te amo con locura.

¡Qué pareja formábamos! Tres caminando por Insurgentes, rápido, como si nos vinieran persiguiendo, yendo hacia ningún lado. Pero mi corazón y el de la Milagrosa —Elena— parecían palpitar al mismo ritmo, compartiendo de cuerpo entero ese espacio diminuto en que parece no caber más que un latido, y el taxista, nuestro cómplice, guardaba silencio, dando a la situación un tono ceremonioso que parecía nacer de su admiración por nuestro amor. Casi corríamos, pero con mis dedos yo tocaba sus dedos tristes, pausadamente, idolatrándola, y sabía que la Milagrosa era indestructible, que en realidad no podría ser toda mía nunca, que ella era de sí misma, de su don, del misterio de su persona...

Para ese entonces caminábamos frente al hotel Diplomático. Una hermosura salió en ese momento, apresurada, y casi tropieza con nosotros, rompiendo nuestro binomio de tres elementos. La reconocí, porque la entrada de ese hotel está siempre muy bien iluminada. Era Norma Juárez, la rorra abandonada por el vejete. La que nos habían dicho que había sido rematada a palos. Salté sobre ella, la sujeté de la muñeca. Trató de soltarse. Me vio a la cara, y fue entonces ella quien brincó hacia mí. Me abrazó.

—¡Qué susto me diste! —y me sonrió. Pero la sonrisa se le borró en un instante—. Todo está color de hormiga. ¿Sabe lo que pasó...?

—No he visto nada —le dije, porque no sabía de qué todo me estaba hablando, si de la ascensión de Morales, la golpiza que le habían dado a alguien que era ella, o la que yo había dado, a estas alturas, viéndola, no sabía ya a quién.

—¿A dónde vas? —me volvió a tutear.

—Vengo con ellos —le señalé a la Milagrosa y al taxista.

—Y usted... —dijo mirando a la Milagrosa— ¿qué hace aquí?

—La respuesta es muy larga, Norma, ¿dónde vas? —ahora era yo quien la tuteaba.

—No voy. No sé, en realidad no tenía dónde ir, pero ya no aguantaba estar en el cuarto.

—Entremos entonces.

Entramos al hotel. Norma se detuvo en la recepción para pedir su llave, y subimos por las escaleras al entrepiso donde están los teléfonos y la tienda del hotel, compré una cajetilla de cigarros, y seguimos al primer piso, al restaurante. Nos sentamos en una mesa pegada a los ventanales que dan a Insurgentes. Todos menos yo pidieron una copa, y ordenamos de cenar.

Le contamos lo de la ambulancia frente a su casa.

—¡Qué pesar! ¿Sería Luzma, mi prima, que a veces pasa sin decir? Ella tiene llaves, y no le avisé... ¡Qué pesar! ¡Pobre! Recibí una llamada, previniéndome que iban a golpearme, que huyera. No sé quién habló. Para entonces ya tenía lugar reservado en un avión. Por lo de Morales. Yo no me quedo aquí. Por si acaso, reservé dos lugares a Madrid, a nombre de mi exmarido y su señora, en este caso yo, con la idea de viajar con el apellido de casada, para protegerme. Tengo miedo, y veo, después de la golpiza a la pobre Luzma, que con razón. Yo creo que el miserable me usó sólo para saber si las artes de la Milagrosa eran eficaces... Así que la señora Giménez, como dice mi pasaporte, se va... Miren —sacó de su cartera el pasaporte y los dos boletos. Norma Juárez de Giménez...—. Mejor con ese nombre, ¿no? Vayan a saber si él haría que me detuvieran a la salida. Si fue capaz de mandarme golpear... Compré dos boletos, y cancelaré el de él a última hora, para protegerme lo más. Por cierto, no quise dar el nombre de mi exmarido, pensé que me traería mala suerte. Le puse de primer nombre el de usted, Aurelio —se sonrojó.

Le palmeé el brazo. Me volví a reprochar no haberla consolado el día que la visité. Estaba tan bonita. El vejete inmundo nunca mereció su amor.

—Hizo bien. Yo reparto buena suerte —me sonrió—. Tiene que irse. Creo que sí está en peligro.

Le contamos entonces, un poco entre todos, de la ambulancia afuera de mi departamento, repitiendo la escena de su casa, del muerto en el Sindicato, de la amenaza a la Milagrosa. Guardó silencio. Aproveché la pausa para levantarme a hablar por teléfono. Bajé las escaleras hacia la recepción, y en el entrepiso marqué el cero para conseguir línea, y luego el teléfono de Lupe. Tal vez no fuera ella la golpeada en casa. No contestó nadie, ni la grabadora que ella suele tener. Insistí de nuevo. Nadie.

Subí. El taxista y la Milagrosa miraban hacia Insurgentes, por el ventanal.

—¿Y Norma?

—Avisaron que la llamaban por teléfono.

—¿Por cuál teléfono?

—Bajó.

—No es verdad, yo estaba ahí —me asaltó una sospecha espantosa. Sobre la mesa estaba el pasaporte, los boletos y la llave de su habitación. Seguramente habían tomado el elevador, que estaba exactamente al pie de la escalera, para sacarla. Los tres, sin decirnos nada, nos asomamos por el ventanal. En ese instante, un hombre la hacía subir a un automóvil. Giró la cara hacia nosotros, desesperada. El hombre subía atrás de ella, empujándola, y el automóvil arrancó. Ya no estaba. Se la habían llevado.

—Se la llevaron —dijo por decir algo, con voz asustada, la Milagrosa.

—Vámonos ya, en este instante —dije, mirando con tristeza los platos enteros.

Nos levantamos de la mesa, con los pasaportes y los boletos, dejando la llave y la comida intacta. El mesero nos miró, sin comprender.

—Ahora volvemos —le dije.

Salimos a Insurgentes. Nos fuimos hacia el Parque Hundido, apresurados. Ahí buscamos, como si fuéramos enamorados (también lo éramos) una banca para sentarnos.

—¿A qué hora sale el avión?

Revisé el boleto, girándolo hacia la luz del farol.

—A las 6:45 de la mañana.

—Tienen que estar ahí antes de las cinco. Aurelio, ¿tu pasaporte?

—Está en mi departamento. Y vigente. Si no se lo han llevado.

—Ahí ha de estar, no te preocupes. Voy y te lo traigo, se van al aeropuerto, ya, y que Elena se peine como la de la foto. No se parecen mucho, pero algo sí. Será que son del mismo tipo, o que las dos son bonitas...

Miré la foto de Norma. Sí, era linda, pero insignificante al lado de la Milagrosa.

Elena se asomó a ver la foto.

—¿De hace cuánto es el pasaporte? —preguntó.

—Expedido hace —lo revisé— cuatro años.

—Se diría que es el cabello largo lo que me hace ver distinta. Pero creo que no debo irme. No puede quedarse todo así. A fin de cuentas, este desastre es mi culpa. Voy a intentar soñar que se acaba la pesadilla. No sé si pueda, pero voy a intentarlo. Que dejen todos de creer en el vejete, que se enferme o que se muera, que le pase algo espantoso. Se lo merece.

90

—Sueña a distancia, Milagrosa.

—No sé si pueda, no sé si sirva, nunca lo he hecho. O si desde allá mis sueños tengan injerencia, o si pueda soñar allá... No sé... ¿Cómo voy a saber? Ni siquiera sé si aún puedo soñar. Pero si me voy y no lo intento, ¿quién sueña? Todo se iría a la mierda.

El taxista la miraba hablar, como si pensara en otra cosa, como si no la oyera. Me habló.

—Si se queda la Milagrosa, puede que no sueñe tampoco. Ya se llevaron a la señorita. Ustedes se van ya, a como dé lugar. Aurelio, explícame dónde está el pasaporte.

Le di las llaves y la explicación precisa de dónde estaba el pasaporte.

—Voy a tratar de conseguir un carro, con un amigo, para que no haya testigos hasta que lleguen al aeropuerto. Y dinero...

—No, dinero tengo.

—Espérenme aquí.

—No me voy —era una necia la Milagrosa.

—Pues se va o se va, no le estoy preguntando. Sueña en el avión, si quiere, o en Madrid, pero no aquí. Me oyó, ¿qué va a soñar aquí? Se la van a echar, verá. Y sería una pena, por todo, porque usted es Milagrosa y es además muy bonita. Y además este hombre la ama, ¿no se ha dado cuenta?

Sí. Era verdad. Ese hombre (yo) la amaba de verdad. Le repetí las indicaciones, y se fue. Ahí nos quedamos esperando. La Milagrosa se recostó en mis piernas y se quedó dormida. Es difícil explicar lo que sentí viéndola así. Ella era un milagro de belleza, pero el sentimiento tan peculiar de verla dormir no era sólo por esto, sino porque en sus sueños otras verdades se echaban a andar. Digamos que este ángel era una fábrica de verdades. Por decirlo de algún modo. Y cuando Elena dormía parecía flotar. No

91

me pesaba en los muslos. Era como agua volando. Por un milagro su rostro no perdía su forma. Porque soñando, Elena era un gas, era... y no, yo no me atrevía ni a moverme. Estaba anclado en la banca, yo era el ancla de Elena (eso sí lo pensé), si yo no estuviera ahí, mi ángel se iría con los vientos, rebasando las nubes, hasta el cielo. Saqué de mi bolsa los papeles de la Milagrosa, y a la luz del farol del parque los leí. Elena seguía dormida. Le hablé. No me escuchó. Saqué del otro bolsillo la pequeña grabadora que uso para guardar informaciones, jamás me fío de mi mala memoria, y empecé a decirle esto, por si pasaba algo antes de subirnos al avión. Escribí una nota, explicando. Hacía ya tres horas que esperábamos.

El taxista no regresaba. Seguramente lo habrían agarrado. Tres y veinte de la mañana. La desperté.

—Elena.

—Ya te puedes tomar un whisky, o los que te dé la gana. Pero el vejete no apareció en mis sueños. Tengo que serenarme, porque lo voy a conseguir. Hoy no cayó, caerá mañana, y cuando él caiga no volveré a soñar...

—Cuál no soñarás, ni qué ocho cuartos. ¿No ves que eres una fábrica de sueños? Para eso sirves. Ya. Vámonos al aeropuerto. Te vas a ir sin mí. El taxista no ha traído mi pasaporte.

Mi ángel se levantó de la banca, roja, blanca, perfecta, y en la pálida luminosidad del Parque Hundido me fue diciendo:

—Yo no creía que existías, ¿sabes? Creí que nadie tenía el imán para llamarme. ¿Cómo crees que te voy a dejar? ¡Ni que estuviera loca! —me abrazó—. No tengo a qué irme. El vejete no me pedirá que sueñe su destrucción, y yo no cumplo mis caprichos, cumplo los ajenos.

—Te lo pido yo. Destruye a Morales, por favor... Te lo suplico. Por nuestro amor, por lo que es digno. Yo tampoco creía que algo como tú existiera. Tampoco te voy a dejar, te alcanzo...

Nos besamos. Después corrimos a la calle y en un taxi llegamos al aeropuerto. Cambiamos a dólares el dinero de los asquerosos del Sindicato, seguramente el cretino de Juan Palomares se estaría retorciendo de ira en su tumba, porque ni había sido para pagar a quien persiguiera a la Milagrosa, como él dijera a la pobre Lupe, ni tampoco para él como lo había pensado, que, aunque se lo hubiera embolsado, de poco podría servirle en la ultratumba. Guardé para mí doscientos mil pesos.

Nos sentamos en El Barón Rojo a esperar que abrieran el mostrador de Iberia. En sólo cuarenta minutos, me tomé un whisky, dos, tres, cuatro. No la vi registrarse, ni subir al avión, ni vi nada porque me quedé dormido. Me despertó la mesera.

—Por fin hace caso, señor. Váyase, viene el cambio de turno y el gerente de éste es un duro, llamará a la policía si no se va.

—¿Y Elena?

—¿La señorita? Se fue. Trataron de despertarlo. Ella y un señor que llegó. Pero no hubo modo. Me lo encargaron, y aquí estoy, llamándolo.

Quise pagar, pero ya habían pagado. Tomé un cuarto de hotel para terminar la grabación.

fin de la grabación del muerto

NOTA ÚLTIMA DEL TRANSCRIPTOR:

Los papeles son muy claros, pero yo quedé después de leerlos con algunas dudas. ¿Fue el taxista quien llegó por la Milagrosa?, ¿se subió con ella al avión?, si no, ¿por qué no esperó a Jiménez?, ¿o alguien vino por la Milagrosa para desaparecerla? Pero no quiero ni creer que ella haya muerto, el narrador de la grabadora no duda en su salvación, por qué voy yo a dudar de ella. ¿Era realmente el muerto el detective? No cargaba una sola identificación consigo, y nadie reclamó el cadáver y, lo más importante, en su sangre no había resto alguno de alcohol, los cuatro whiskys que dice haberse bebido la noche anterior desaparecieron como por embrujo. ¿Sería que el muerto es el taxista, que él les regaló su vida, que planearon juntos la huida y la suplencia, creyendo en la eficacia de los sueños de la Milagrosa, en la necesidad de salvarla, y en el amor que los unía? Yo también creo en los sueños, pero lo pienso dos veces y me parece que el taxista no tenía por qué sacrificarse por ellos, ¿o la Milagrosa lo soñó así en la banca del parque?

Tan creo en los sueños, que por eso transcribo el material. Si no, jamás podría ser publicado, y hacerlo circular de mano en mano, con el clima todo impregnado de Morales, es un riesgo que no tengo por qué correr, no soy pendejo. Si algún día se pueden leer, será porque esto ha cambiado, porque existe la Milagrosa, porque vive con el detective que la adora. Hoy todos aman a Morales, menos nosotros tres (los dos que huyeron y yo), Norma y Lupe, si no han muerto, todos menos nosotros le profesan veneración ciega. Espero, sin embargo, que la Milagrosa sueñe el fin de Morales, que en cuanto se recupere del cambio de horario (si es que fueron a Madrid y no es otra mentira grabada en la cinta para protegerlos) sueñe con pertinencia lo que le es dado para salvarnos a todos de la caída a un precipicio que ya avizoro, con pánico, con tristeza, pero sin reproche alguno hacia la Milagrosa. El crimen no es de ella. Y ya que ella sueñe la ruina del vejete, él esperará tres días para creer lo que sabrá una verdad ineludible, para comprender que ha perdido todo poder de convencimiento, como tres noches se acercó a Norma, temeroso, hasta que se convenció de la existencia del milagro. Durante tres noches se cogerá al país para nuestro masivo desagrado. Y lo hará en la penumbra, para que nadie pueda verlo, diciéndose a sí mismo que nadie tiene ya poder sobre él, tratando de sostenerse con sus palabras a la tabla de salvación de un poder ilegítimo. Pero llegará la tercera noche, y se encenderá la luz... Los que hoy dicen adorarlo se arrojarán sobre él, y lo harán pedazos.

A menos que él no sea el sueño de la Milagrosa, sino el sueño de muchos. Y que un velo infame impida ver el milagro de su desaparición, la encarnación de los sueños de la Milagrosa en la faz de la tierra.

Espero la resolución. Las horas se me hacen muy largas, muy largas...

✳

Recopilación de las libretas de
AGRADECIMIENTOS
tomados al azar.

Aun cuando los agradecimientos están, en su mayoría, firmados y con las señas del suplicante satisfecho, no se anotaron aquí más que las iniciales de su nombre, explicitando sexo y edad de quien firma, y mes y año del agradecimiento, de estar escritos en las libretas.

✳

Doy gracias a la Santísima Virgen porque hizo que yo ya no bebiera más, porque me ha quitado lo mujeriego (me parece), porque me regresó el trabajo que estaba a punto de perder, y, sobre todo, porque eliminó en sólo una noche la panzota que me afeaba tanto y que me hacía jadear cuando subía las escaleras del departamento.

J. V. V.
Varón, 42 años, 1991, junio.

Agradezco que la Milagrosa me enseñó en menos de siete horas a multiplicar la tabla del siete. Las otras las traía ya aprendidas por mí mismo, pero ésta no me entraba, y la Milagrosa me la donó para que yo lleve a buen término mis estudios primarios.

C.H.S.
Varón, 39 años, 1992, agosto.

Aquejado por virulentas migrañas, acudí a la Milagrosa para que me sanase, desesperado de ellas y de convulsionar y ver luces y manchas brillantes.

Doy fe de que todo esto ha desaparecido.

J.R.E.
48 años, masculino, diciembre 92.

A mí me quitó el marido golpeador. Quiero decir, le quitó lo golpeador a mi marido. No me ha vuelto a pegar. Gracias a Dios. ¡Bendita sea la Milagrosa!

T.D.
Femenino, 43 años, junio 91.

Estando gravemente enferma de un mal que los doctores no podían diagnosticar, acudí a la Milagrosa, solicitando su ayuda, y aquí estoy, como se ve, sin los dolores que tanto mal me hacían. De paso anoto que igual de recio que antes sentía yo como raspándome allá adentro, siento yo ahora como si me abrazaran aquí afuera. Pero no me preocupa, y creo que nadie se muere por sentir bonito y bien, aunque solita.

D.C.N.,
Febrero 1991. Femenino, 53 años.

Vengo a dar las gracias al Señor Jesucristo porque existe la Milagrosa porque ella me dio la facultad de moverme, sin la cual había yo nacido. Me escribe este agradecimiento mi hermano, porque yo no sé escribir, apenas estoy aprendiendo a mover las manos sin picarme los ojitos.

J.K.I.,
23 años, femenino. Noviembre, 1991.

Agradezco a la Milagrosa que me haya quitado los sueños puercos que no querían dejar de atormentarme. Para glorificar al Señor, yo le había extendido plegarias implorando su desaparición, había intentado doblegarlos con sacrificios; probé también el cilicio, el ayuno, el rigor del frío. Pero Él en su grandeza dispuso que la Milagrosa me liberara del poder del demonio, de su dominio sobre la oscuridad doliente de la carne y sus necesidades.

SOR TERE.
36 años.

FINALE
EN BOCA DE LA MILAGROSA

UNO. UNO. UNO. Si todo lo sueño, ¿no puedo soñarme sola, mirando fijamente un punto minúsculo del muro, ajena al misterio de la disolución de los demás, en lugar de aceptar la tentación de la variedad, la banalidad de lo diverso? Soñarme rendida en la grandeza del todo que se congrega en la unidad, en lo inmóvil, en lo que no tiene movimiento ni es continuo. ¡Salir de lo que puede trastornarme, de donde me pierdo al perder toda calma! Uno. Uno. Uno.

Si yo no consigo ejercitar el pensamiento del uno-uno-uno, la sílaba Yo se diluirá en la banalidad del nosotros, en las imprecisiones de lo que transcurre. Si no entreno el YO con mansedumbre, lejano a la docena, separado del bulto informe de la cantidad, de la ciega celeridad del grupo, ¿qué será de esa sílaba, sino un crujido en la boca, un minúsculo estallido, cuya ridiculez lo hará imperceptible?

Porque uno-uno-uno (o yo-yo-yo, aún más perfecto evocando, por no mostrar variedad en las vocales), porque yo-yo-yo (o mejor uno-uno-uno: la designación del pronombre invoca la aparición de los otros, a pesar de su limpieza formal, de la unicidad de su vocal necia)... Uno-uno-uno. Debo montarme en él para conseguir la sobrevivencia del espíritu. Soy la Milagrosa.

Ahí estoy. Llegué por fin al territorio del Uno.

Tal vez. Lo dudo porque aquí me oigo rezongar en contra de lo que no es uno. ¿Para qué rezongo? Así me regalo como carnada para el botín de la variedad. Rezongando pierdo el uno, imito la forma del diálogo que obliga al plural.

Ahí estoy. Alzo allá, adentro de mí, las piernas y pataleo para alejar cuanto se acerca a apoderarse del territorio que yo quiero conservar para el uno en el que estoy. Si muevo rítmicamente las piernas, puede no me distraiga la batalla de la defensa, puede conserve la mente calma, puede no me desplome ante el embate... Sisean, sisean; murmullan, murmullan. Me sujetan de las corvas, me acarician los muslos, ¡pésima idea, ésa de patalear!

¿No puedo entrenar el uno? ¿No puedo estar llanamente ahí, donde no hay nada más que un yo aislado, sin continuidad, dueño de la riqueza de la inacción y el pensamiento? Si no lo consigo, desapareceré, derrotada ante lo pujante e insaciable de los números plurales.

Por otra parte, ¿cuál es la diferencia entre lo que ocurre y lo que se sueña?, ¿qué tipo de nudos ata las relaciones entre la realidad y lo que no ocurre? ¿Cuál es la diferencia entre lo que se siente, lo que se dice, y lo que realmente pasa? Mi vida está a medias arraigada en las palabras torrenciales de los otros, y en los sueños a que éstas los invitan. Debo procurar no disolverme entre ellos, recuperarme para continuar escuchándolos, para ser quien soy: la Milagrosa, el ser que hace milagros en sueños, fiado a las palabras y consagrado también a la recuperación de la unidad.

¡Intento entrar al territorio del uno hoy que no puedo despegarme de los otros para ser lo que soy! Porque yo soy por ellos la Milagrosa. Pero necesito el equilibrio del uno subrayado, el ejercicio del aislamiento para no disolverme, para no desaparecer engullida por la voracidad de quienes me rodean para pedirme, para que ejerza en su favor mi don.

Si lo que yo debo hacer para no desvanecerme es apegarme al uno, uno, uno, ¿para qué verme desmilagrada, andando en las calles como cualquiera, vestida de rojo, con el cabello suelto, invocando a las miradas, para qué? No hay un solo motivo para tan ridículo pasaje. Peor aún: llevo en mi mano la de un compañero. Siento en mi corazón sus palpitaciones, como si ambos fuéramos un solo cuerpo. Peor aún: a él sí le permití tomarme de las corvas, acariciarme los muslos, y después meterse en mí aberrantemente, mientras yo me perdía, mientras dejaba que todo lo que soy yo se fuese, así, así, así, hacia el bisbiseo de bocas incontables, hacia el trinchadero de miradas donde nada parece detenerse, donde todo corre, ebrio, sin sujetarse, loco, loco, enloquecido. Hacia donde el yo se pierde, el uno se disuelve, se confunde a la distancia con un todo pluriforme, con la variedad y lo múltiple, constante en su variedad.

Peor aún: enmarcaba mi entrega una cadena tenebrosa de actos y de hechos, y conforme ocurría, parecía inocultable el oculto monstruo de la premeditación y la alevosía. ¿De dónde había salido? ¿Por qué estaba donde todo parecía tinto por el verbo transcurrir? Un resplandor de aurora se desprendía de la ilusión de fugacidad, un cántaro de fuego noble se vaciaba sobre la mesa inclinada de las horas. Pero si alguien empinaba a su torvo antojo la inclinación de la mesa, el alegre resplandor era un caer de vidrios rotos, y yo caía con él, herida, como los demás, marcada por la disminución de la premeditación y la alevosía que ya he mencionado.

Debo retornar al uno. Uno, uno, uno: no puedo permitir mi fuga, mi disolución, no tengo por qué ser la herida

101

cubierta con el vestido rojo de mi propia sangre exhibida en el carnaval de lo otro.

Yo visto de blanco.

No salgo de mi casa nunca.

Por mí, ¡que ruede el mundo!, ¡si ha de caer Troya, que caiga! Yo sólo veo que ocurren cosas en mis sueños, donde yo las provoco y las comando. Ustedes las desean, pero yo las invito. No me dejo mover por sus pulsiones y si algo les duele, su dolor me es indiferente. No soy sensible a ustedes. Total, mi oreja es lisa, es un embudo. No hay enmarcando mi rostro dos complicaciones laberínticas: mis orejas son como los ojos, de un golpe apresan lo que hay afuera. Yo me trago las palabras de los suplicantes, engullidas van a dar a lo más hondo, como si mi yo no les interpusiera la menor resistencia. Mi yo no les cambia de signo. Ustedes entran a mis sueños, arrebatan a mi don la consecución de mis caprichos. ¡Si yo los interpretara a mi gusto, si usara mi alma para comprenderlos! ¡No ocurrirían milagros, haría mi voluntad, que es algo muy distinto!

Uno, uno, uno. Cuanto ocurre es ilusión. Uno. Uno. Uno. No me moveré de aquí. Ataré mis sueños. Los domesticaré. Dejaré que los viejos sigan hacia la muerte con el cuello amarrado a la soga de los años. Y si quiere la joven despeñarse hacia donde el viejo cae, que caiga, pero no le regalo un año más, para que sepa la proporción de su ridículo anhelo de muerte.

De la gente de mi barrio pido solamente prudencia y silencio. No quiero nada más. Su vida ha cambiado irreversiblemente, no por los milagros, por los beneficios prácticos que ellos les han traído y que yo no soñé nunca. Nada tienen que ver conmigo. De los chicos del Sindicato, no quiero saber nada. Que me dejen en paz. Que consigan, eso sí, lo que puedan. Pero que no me moleste nadie, que no se hable de mí.

Si alguien viene siguiendo mis pasos para contar a otros mi historia, que se le pudra la lengua, que se le haga chicharrón, porque si acaso consiguiera contarla, me obligará al presente y al futuro, a que ocurra algo siguiendo la lógica móvil de las horas y los días y yo no quiero moverme, me he rendido a la fascinación de la unicidad inmóvil. Que me espíe el que quiera: no podrá asomarse a mis sueños. No sabrá de mí. Nunca entenderá qué es lo que yo pienso, con qué siento, en qué ocupo las horas cuando estoy yo sola. Y cuando me acompañan los suplicantes, ¡que intente hacer una historia con ese abanico interminable de historias, con ese desparramadero de anécdotas diversas! Todos tienen vidas efímeras cuando vienen a verme, pasan tan rápido, piden tan pronto... Si alguien quiere hacer mi historia contándolos, ¡que lo intente!

Uno. Uno. Uno. Aquí no pasa nada. Yo no soy ni seré de nadie. En mi vida no hay llanuras pobladas de dagas de ojos. No me muevo de mí. Uno. Uno. Uno. Por algo soy la Milagrosa. Cualquier historia me corrompería, me entregaría a la nada. No pertenezco al mundo de los actos. Yo no quiero vivir, lo que quiero es perpetuarme aquí, mirando fijamente un punto, descubriendo la grandeza del primer número. Las horas no pasan aquí. Tal vez algún día de algún año de algún siglo, yo tienda a desplomarme. Otras veces lo he hecho. Pero yo no me entrego. Aquí estoy. Vuelco sobre el piso de mi habitación cuanto soy y cuanto he tenido.

Uno-uno-uno. Los milagros ocurren en mis sueños. El uno es la verdad a la que me acojo para que mi yo no se disuelva. Y si me voy, ¿quién sueña? (Pero si mi don hubiera sido otro, si su territorio no fueran las fantasías sino ese liso y opaco llamado realidad, yo no tendría por qué practicar no perderme. Al contrario. Podría jugar a escaparme de mí y estallar al retomarme. Me lanzaría en mis pensamientos a territorios ajenos a todo lo que me fuera afín. Viviría, en mi imaginación, rodeada de la estrechez de la variedad, en bosques insólitos habitados hasta la incertidumbre. Todo pertenecería a los otros. Yo me miraría a mí misma sin piedad, como si yo fuera otra, ajena a los ojos y a la voz que me describiera. Mi historia podría ser cualquiera.) Uno. Uno. Uno. No dos, el número absurdo, como en aquella pareja en la que el uno al otro se robaban edad, aumentando y disminuyendo el pulso de sus años para sostenerse en el deseo o probar la posibilidad del milagro, confirmar que existía para después, ejercitando de nuevo el abyecto dos, solicitar dejar el uno y tiranizar a los demás con su convencimiento, apoderarse de sus voluntades, recoger los cabos atados de la desazón de quienes aquí viven, en un país más indescifrable que otros de tradiciones menos estridentes y contrarias, menos coloreadas y fantasmales, tintas así para conseguir su sobrevivencia, pedir a la Milagrosa la rendición de las voluntades ajenas para apoderarse del temible dos de la voluntad colectiva, y gobernarla sin uno, con el ansia del dos, sin la inteligencia, queriendo apoderarse de todo... Uno. Uno. Uno. ¿Para qué el dos del taxista viviendo con la chica que lo detesta? Uno. ¡Volver al uno! Uno. Uno. ¿Para qué el dos de la virgen que se entrega inexplicablemente, tal vez de ira, y que pierde incluso la ira en su entrega?, ¿para qué? Uno. Porque el dos es la distorsión del que persigue la vida de otro para devorarlo. Uno, quiero quiero el uno, ¿cómo puedo ahora retornarlo? Venciendo el dos, enseñando su torpe derrota: ¿para qué los ayudaba el taxista?, ¿para qué los perseguía el vejete de mierda?, ¿para qué usaríamos boletos ajenos, huyendo de lo que habría yo provocado? ¿Para qué el dos? Uno. Uno. Uno. ¿Y ahí habría palabras, ahí donde todo es unidad, estático equilibrio? ¿Hay palabras donde hay sólo el uno para ser designado? Todas las palabras nos hablan del dos, pertenecen al sistema binario. Debo pensar sin ellas:

Pero sin ellas tampoco consigo aislarme del dos. Porque miro al que me perseguía para arruinarme, lo veo haciéndome perderme, deshaciéndome, destrozándome, desmilagrándome, lo veo, trozándome en dos y en dos más y en otras dos y más dos y más dos ... Tampoco en el silencio, y no estoy segura de que en las palabras el dos sea un inevitable, porque en la fantasía el dos puede tornarse el uno, hacerse la obsesión del punto fijo, unicitarse... ¡Ay, uno, uno, unoooooooooooo, torna a mí! ¡Recuerda que yo lo sueño todo, que mis sueños se imponen como verdad única sobre la variedad fugaz de lo no querido o lo repudiado, de los deseos o las necesidades!

¡Yo soy la escapatoria! En mí, hasta yo misma cambio de rumbo, porque aquí estoy, a pesar de mí, retornada a mí. Soy la Milagrosa. Estoy aquí para escuchar las peticiones. El ejercicio de mi don puede conseguir milagros, reparar defectos o imperfecciones, devolver lo perdido. Usted pida.

Ciudad de México, barrio de Santa Fe.
Enero de 1994.

AGREGO

Milagrosa: Tal vez no reconocerás mi puño y letra. La
pura idea me es deleznable. Yo te conozco toda, voy tras
de ti, persigo tus hábitos, bebo cuanto hay en ti de bebi-
ble, devoro lo devorable, soy más que una sombra tuya,
soy... Y tú no reconoces siquiera mi puño y letra, la forma
que tienen en el papel mis palabras.

No tengo nada más característicamente mío que ellas.
No sólo por la caligrafía, tan única, ni por la forma en
que acomodo una palabra junto a la otra, en estricta ar-
monía. También porque al escribirte mojo mi pluma en la
tinta azul de mi vagina, y eso es casi tan mío como la
caligrafía, aun cuando su flujo se ha vuelto de ese color
por el golpe de tu ausencia. Estas palabras están escritas
con eso. Milagrosa, escúchame: no debieras abandonarme.
Si vas a huir de nuevo, troncha de una vez antes de irte
mi cabeza. Que mi cuello resbale por mi tronco, emba-
rrándome del rojo asqueroso de mi sangre. Sácame así,
antes de volver a irte, de este azul en que vivo sumergida,
a fuerza de tanto tú, Milagrosita. Escucha. Ya que te estoy
hablando quiero decirte muchas cosas. No olvides que nadie sabe tanto de ti como yo, esta vieja que cose tu ropa;
a fuerza de imitarte me he hecho fuerte en la compren-
sión de tu inteligencia. Milagrosa, escucha. Es culpa tuya
que yo piense en cosas terribles. Yo que te he imitado
hasta el hastío lo sé. Lo del cuello embarrando su materia
viscosa en su caída, por ejemplo. Y ahora quiero hablarte,

pero me gana esta emoción convulsa, y trastabilleo y caigo en el silencio... Yo me fuerzo a mí misma a hablar, Milagrosa, pero tú escucha, oye cómo y por qué me condenas al silencio. Tu condena es injusta. No tienes por qué castigar a quien vive en la cárcel de tu repetición, en sí es un suplicio, no lo hagas crecer, es injusto.

No me condenes al silencio... La cárcel que habito, cuando te ausentas, se prende fuego, y vivo entonces el castigo del infierno. No puedo abandonar el gesto de repetirte, con la soga al cuello bailo entre las llamas presumiendo mi cadáver, imitándote siempre; ahí colgando no puedo troncharme la cabeza, sacarla de mí. Y quiero escribirte para culparte por tu ausencia, para acusarte por haberme puesto en el infernal predicamento que he descrito. Pero para escribirte tienes que estar, porque has de recibir lo que te voy diciendo con el flujo azul que exuda mi cuerpo, trazado en las hojas que robo al fuego a fuerza de ensalivarlas para que no se enciendan.

Y como no estás aquí, termina la imperiosa necesidad de decírtelo, porque mi cárcel cambia de aspecto y regresa a ser la repetición de tus actos al infinito. Milagrosa, no sé hacer otra cosa. No quiero comprender la lección de abandonarte.

Oye Milagrosa, oye, y escucha lo que te voy diciendo. Tú no sabes quién eres, ni de qué estás hecha. Lo único noble que hay circundándote es el azul con el que escribo, lo pienso ahora que veo hundirse entre mis piernas la pluma para tomar con qué escribir, con qué recargarse. Que tus ojos lo vean por sí mismos, trazo aquí: Es como la asquerosidad de mi cuello libre resbalando por la hoja, pero es lo más limpio cerca de ti. Dime si no es cierto. No puedes, no sabrías decirme nada. No tienes idea de quién eres. Yo me he ido acercando a ti a fuerza de tanto repetirte.

Yo sé cómo entró el olor a corrupto en tu cuerpo vivo. Yo sé lo que eres. En nada te pareces a un lirio. Sé qué tipo de milagros cumples, porque a fuerza de repetir tus actos, tus sueños han entrado en mí sin pedir permiso, abandonando su carácter de sueños y enseñando su calidad de real en las libretas de agradecimientos que no quiero compartir con nadie. Como lo que comes tú, bebo lo que tú, me acuesto a la misma hora. Leo lo que tú lees, y coso lo que tú vistes. Así es como, aunque no sueño lo que tú sueñas, sé lo que ocupan tus sueños, qué trazan. Qué cuentan. De qué están hechos. Cuando me has abandonado, cuando has olvidado quién eres, yo me he quedado varada en ti, estancada afuera del tiempo, oyendo lo que se despide en tu persona aislada. Ensayaré transmitírtelo. Aquí tienes.

Escucha. Por favor, escucha.

Escucha otra vez. ¿Llegó hasta ti el fragor del campo de batalla? Veo el modo en que lo percibes, corres más rápido que lo posible a acercártele. Y ahí estás ahora, revuelta entre los cuerpos heridos y los que hieren, haciendo los actos provocados por la guerra. No la guerra abstracta. Ahí. En la mirada del niño que no se explica, tiene miedo, mata de terror porque sabe que lo matarán a él en cualquier momento, y quiere salvar el pellejo. Pero donde más estás es en el rompedero, en los miembros que caen, en los ojos reventados, en las almas que no tendrán compostura, y en una oscura carcajada altanera que tu tórax deja salir grosero. Tú amas la violencia, Milagrosa, por eso curas. Adoras la desesperación, por eso escuchas a los suplicantes y cumples sus caprichos. Sientes predilección por el engaño y la mentira, son tu fuerza. Te permite navegar en las aguas de lo imposible. En esencia te gusta lo que no puede ser cierto, de ahí tu gusto por el horror, por lo que excede la crueldad de Naturaleza.

Yo tenía por ti veneración, hasta que te ausentaste, y tenía mis ojos cubiertos por su venda; ahora veo lo que tú eres, eso trato de explicarte aquí. ¿Cómo reconocerías en estas palabras mi emoción, si ni siquiera ves en ellas que esto es mi puño y letra, mi flujo, la exudación de mi propias entrañas?

Escúchame, sí, escúchame... No quiero, sin embargo, que estas palabras dejen ver de frente mi desesperada necesidad de ti, Milagrosa. Imagino tu gesto al saberlo, tirar una patada al hocico del molesto lazo para que se aleje. Y no puedo exigirte que comprendas tu necesidad por mi persona, mucho más ridícula que la mía por ti. A la Milagrosa, ¿quién no va a necesitarla?, trae a la vida real los sueños. En cambio yo no tengo virtud. Repito tu rutina, copio tus actos para no dejarte evaporada en el vacío. Digo el vacío, porque si quedas toda entregada en los sueños, no dejas nada aquí, y como es tanta tu presencia en el otro mundo, el de la irrealidad, el de lo imposible, el peso de tu cuerpo no es el suficiente para traerte de regreso. Te hago falta yo, para no caer por siempre en el pozo insondable de los sueños. Tú ya no serías nadie sin mí. Ni Milagrosa ni nadie. No tendrías nombre porque serías irreal, sólo materia incorpórea, substancia de sueño.

Como lo sabes, has entrenado a mi cuerpo para que repita los actos del tuyo. No la apariencia. Eso no es cuerpo. Sólo almas chatas insensibles a toda inteligencia y erotismo conciben al cuerpo como lo que se ve. En lo que se ve, tú y yo en nada nos parecemos. No ha sido tu intención intentarlo. Incluso has subrayado las diferencias, como si tu apariencia perteneciera también al terreno de lo irreal, de lo imposible, de los sueños. De esa manera, escucha, oh blanda imagen, restas tu aspecto completo al peso de tu cuerpo, de por sí de insuficientes fuerzas para recuperarte de los sueños a cada día, por las mañanas. Yo estoy aquí para que puedas volver a ti. Doy a tu cuerpo, con la repetición de tus actos, el peso suficiente para que tú existas.

Si tú duermes y sueñas cuando no estás conmigo, cuando aparentas no necesitar la parafernalia que te rodea para ser quien eres, la Milagrosa, puede no vuelvas a ti, sin cuerpo suficiente, en la levedad del puro milagro, y te disuelvas en la nada de lo que no puede ser, como si fueras parte de los sueños.

Así que yo no te dejo ver mi desesperada necesidad y tú guarda el desplante de desprecio, tu patada al hocico del perro. Tampoco te diré por qué te necesito, ni para qué. Piensa a tu manera que cada mañana yo sí puedo volver a mí sin tu existencia. Yo sí despierto. No tengo problema, en tus sueños yo no te acompaño, soy dosis doble de realidad, jamás me despego de aquí.

Escúchame, escúchame implorarte. Cuando te vas, esa doble dosis que me vuelvo me hace dos veces más sujeto de dolor, dos veces más dura tierra, dos veces más carne y materia. Con una tengo de sobra, para prestarte y para mí.

Sabes, Milagrosa, lo sabes, que tú no ejercerás más tu don en mí. Sabes también que yo sé que tú no me curaste, que los médicos estaban equivocados, que yo no estuve enferma, y que el primer milagro que me concediste tampoco lo fue. Por eso puedes usarme, yo no entro en tus sueños ni entraré nunca. El peso de mi cuerpo no lo permite. Robo las libretas de agradecimientos para que solas tú y yo compartamos el fruto de tus sueños.

Escucha. Escúchame. Quiero que me escuches. Oye. Pon tu atención en mí. De lo que no estoy segura, es de lo que debo decirte, Milagrosa. Estoy desesperada aún por tu anterior ausencia. Ser doble carne... Aún lo guardo en la memoria. No te vayas más. Dejarme cuerpocuerpa es condenarme al sometimiento de la desolación y el trueno. Me vuelves inerme en el centro del huracán. El huracán soy yo misma, la ira de mi persona. El beso de mi cuerpo en la ausencia del espíritu.

Milagrosa, convengámoslo. Por el bien de las dos. No te vayas otra vez. Yo seguiré cosiendo tus ropas, te acompañaré en tus actos sin jamás verte. No volveré a escribirte. Tú estarás ahí para que yo te repita. Tus seguidores irán y vendrán para cumplir su labor de espejo. Ellos me dirán tu voluntad y me indicarán cómo imitarte. Yo obedeceré, fiel como tu imagen. Y tú no escapes, sé que no quieres desvanecerte. Acordémoslo así. No es conveniente otra cosa.

¿DE LUTO POR MORALES?

RAFAEL BARAJAS

Queda en pie la gran interrogante. Postulado candidato presidencial por el siempre mangoneable PST, que si se llama partido lo es más por parecerse a una mano arreglada de barajas (no por usar mi nombre, la trayectoria derechista del empresario y abanderado de las moralinas más estrechas y ciegas es bien conocida por todos, su postulación por un partido socialista y de trabajadores, en circunstancias que no fueran las actuales, no movería más que a la risa), muere Felipe Morales dejándonos a todos con un palmo de narices, tanto a sus detractores, apuntando miras a su persona y descuidando el zafarrancho priísta que lo apoyaba en patadas de ahogado, como a sus defensores y seguidores, incapaces de acogerse a ninguna otra figura. El hecho de su muerte (inesperada pero previsible, considerando su avanzada edad y el esfuerzo a que se avocó en su vertiginosa carrera a la presidencia del país), desprende dos verdades igualmente preocupantes, a las que hay que dar atención con carácter de urgencia.

Por una parte, el hecho innegable de que el sistema político se tambalea convulso, por el otro el descontento generalizado, capaz de acogerse a cualquier salida, del signo que ésta sea, si promete cruce por la empantanada situación crítica, situación, por otra parte, que de ninguna manera podríamos atribuir a la casualidad, sino a las necias decisiones del régimen saliente. Al deterioro del poder adquisitivo del salario, el desempleo y el subempleo, cada vez más extendidos, se suma la inminente sucesión presidencial, cuya ceremonia tendrá que llevarse a cabo sobre tapetes

fuera de sitio y tambaleantes. No rasquemos más, que los tapetes nos pueden llegar a parecer incluso voladores, como en los cuentos árabes. Negro, color de luto y, ¡no dudarlo!, no por la muerte de Morales, tendremos que vestirnos para ir a tono con el tenebroso panorama.

Vestidos así pediremos chamba en masa, alineados frente a la maquiladora extranjera en que se ha convertido a nuestra patria.

Más de una pregunta podemos formularnos: ¿podrá el Revolucionario Institucional conservar el sitio que ocupa y a qué costa? (No descartemos la en un momento rumorada reelección, aun a costa del atropello constitucional, y no olvidemos tampoco el nulo peso de destapado en turno, a quien el Partido desamparó en el momento oportuno para acogerse al occiso.) ¿Y qué con Cárdenas? Frente al

112

embate furioso de Morales, temiendo no sabemos precisamente qué, como hemos comentado en pasadas columnas políticas, retiró su candidatura. ¿La volverá a presentar? ¿Su partido lanzará a Muñoz Ledo al quite? Muy pocas serán en ambos casos sus esperanzas. Del PAN no hay nada que preguntar, puesto que ha perdido aun a sus más fieles seguidores al sumarse oportunistamente al Morales hoy muerto...

Se diga lo que se diga, a pesar de los rumores de distintas estirpes, desgraciadamente ni milagros ni milagreras podrán auxiliarnos en las próximas elecciones presidenciales.

Queda en pie la gran interrogante.

Fotocomposición:
Alba Rojo
Impresión:
Robles Hnos. y Asoc., S. A. de C. V.
Calz. Acueducto 402-4b
09810 México, D.F.
20-XI-1993
Edición de 2 000 ejemplares

Biblioteca Era

Jorge Aguilar Mora
: *La divina pareja. Historia y mito en Octavio Paz*
: *Una muerte sencilla, justa, eterna. Cultura y guerra durante la revolución mexicana*

Ernesto Alcocer
: *También se llamaba Lola*

Claribel Alegría
: *Pueblo de Dios y de Mandinga*

Dorelia Barahona
: *De qué manera te olvido*

Roger Bartra
: *El salvaje en el espejo*

José Carlos Becerra
: *El otoño recorre las islas. Obra poética, 1961/1970*

Mario Benedetti
: *Gracias por el fuego*

Fernando Benítez
: *Los indios de México [5 volúmenes]*
: *Los indios de México. Antología*
: *Los primeros mexicanos*
: *Los demonios en el convento. Sexo y religión en la Nueva España*
: *El libro de los desastres*
: *Historia de un chamán cora*
: *Los hongos alucinantes*
: *1992: ¿Qué celebramos, qué lamentamos?*

Alberto Blanco
: *Cuenta de los guías*

José Joaquín Blanco
: *Función de medianoche*
: *Un chavo bien helado*

Miguel Bonasso
: *Recuerdo de la muerte*

Carmen Boullosa
: *Son vacas, somos puercos*
: *Llanto*
: *La Milagrosa*

Luis Cardoza y Aragón
Pintura contemporánea de México
Ojo/voz
Miguel Ángel Asturias. Casi novela
Rosario Castellanos
Los convidados de agosto
Carlos Chimal
Cinco del águila
Crines. Nuevas lecturas de rock
Gilles Deleuze y Félix Guattari
Kafka. Por una literatura menor
Isaac Deutscher
Stalin. Biografía política
Trotsky. El profeta armado
Trotsky. El profeta desarmado
Trotsky. El profeta desterrado
Mircea Eliade
Tratado de historia de las religiones
Carlos Fuentes
Aura
Una familia lejana
Los días enmascarados
Eduardo Galeano
Días y noches de amor y de guerra
Ana García Bergua
El umbral. Travels and Adventures
Gabriel García Márquez
El coronel no tiene quien le escriba
La mala hora
Juan García Ponce
La noche
Emilio García Riera
México visto por el cine extranjero
Tomo I: 1894-1940
Tomo II: 1906-1940 filmografía
Tomo III: 1941-1969
Tomo IV: 1941/1969 filmografía
Tomo V: 1970-1988
Tomo VI: 1970-1988 filmografía

Juan Rulfo
   Antología personal
   El gallo de oro. Y otros textos para cine
Adolfo Sánchez Vázquez
   Las ideas estéticas de Marx
Francisco Toledo
   Lo que el viento a Juárez
Hugo J. Verani
   La hoguera y el viento. Textos críticos sobre José Emilio Pacheco
Paloma Villegas
   Mapas
Paul Westheim
   Arte antiguo de México
   Ideas fundamentales del arte prehispánico en México
   Obras maestras del México antiguo
   Escultura y cerámica del México antiguo
Eric Wolf
   Pueblos y culturas de Mesoamérica
Wiktor Woroszylski
   Vida de Mayakovsky
El oficio de escritor [Entrevistas con grandes autores]